LES RELIGIONS DU MONDE

Pour l'édition originale :
Éditrice Susannah Steel
Responsable artistique
Claire Legemah et Jane Thomas
Édition Fran Jones et Linda Esposito
Maquettistes Sheila Collins, Jacqui Swan
Direction éditoriale
Caroline Buckingham et Andrew Macintyre
Direction artistique Simon Webb
PAO Siu Yin Chan
Iconographe Fran Vargo
Iconothèque Karl Stange
Fabrication Ally Lenane

Conseiller Dr Peter Connolly

Pour l'édition française :
Responsable éditorial Thomas Dartige,
Édition Éric Pierrat et Clotilde Grison

Adaptation & réalisation
ML ÉDITIONS, Paris,
sous la direction de Michel Langrognet
Traduction François Poncioni
Édition Anne Papazoglou-Obermeister
PAO Anabelle Morand
Correction Marie-Pierre Le Faucheur
Relecteurs-spécialistes
Dominique Barrios-Delgado,
Catherine Clémentin-Ojha,
Anne-Marie Delcambre et Denis Matringe

LES RELIGIONS DU MONDE

racontées par des enfants

par
Laura Buller

GALLIMARD JEUNESSE

Sommaire

Shivani (Australie)
page 18

Jang-chub (Tibet)
page 24

Hasini (Sri Lanka)
page 30

Gurkaran (Inde)
page 40

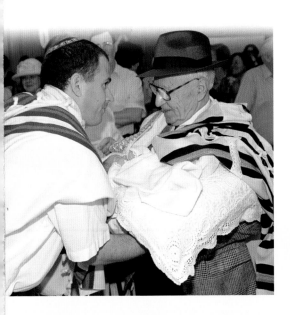

Dan (Argentine)
page 45

Antonino (Italie)
page 54

Corinne (Suède)
page 56

Rachid (Maroc)
page 64

Yasmin (Royaume-Uni)
page 67

Qu'est-ce qu'une religion ?

UNE RELIGION est un ensemble de croyances basé sur la foi en l'existence d'une ou de plusieurs forces supérieures. Pour des millions de gens, cette foi s'exprime à travers des rituels : ils prient, assistent à des offices, lisent des textes sacrés et participent à des cérémonies. Des enfants racontent ici leur pratique religieuse.

Chez les sikhs, les hommes gardent les cheveux longs et les couvrent d'un turban.

Religion et famille

Tes parents, s'ils ont une religion, te l'ont probablement transmise. Peut-être y as-tu pris part depuis ton plus jeune âge. En grandissant, tu connaîtras peu à peu les rites religieux et les cérémonies que pratiquent tes parents. Tu comprendras alors le rôle joué par la religion dans ta famille.

Inscriptions hindoues, écrites en ancien sanskrit

Les écrits religieux

Avant l'invention de l'écriture, les peuples se transmettaient leur religion oralement et par des actions. Les enseignements et les idées ont ensuite été mis par écrit. La plupart des religions disposent d'un ou de plusieurs livres racontant leur histoire et donnant des règles de vie à leurs fidèles. Peut-être as-tu entendu chez toi des histoires tirées d'un de ces livres ?

Religion et tradition

Une tradition est une coutume transmise sur plusieurs générations. Les traditions sont très importantes, en particulier pour les enfants, car elles leur donnent des repères dans la vie. La religion peut avoir une grande part dans la tradition familiale. Par exemple, les membres de ta famille peuvent se réunir pour accomplir certains actes ou partager certains aliments lors de la célébration d'une fête religieuse.

Lors d'une procession de la semaine sainte, ces enfants du Guatemala revêtent un costume traditionnel. L'un d'eux porte un encensoir.

Religion et enseignement

Un enfant doit acquérir une éducation pour comprendre le monde qui l'entoure. Certains pensent qu'il est important de voir les choses à travers les croyances et les pratiques de leur religion ; aussi beaucoup d'enfants fréquentent-ils des écoles religieuses. Ils y apprennent à connaître leur religion et à comprendre ses traditions, tout en étudiant d'autres matières.

Culte juif dans une synagogue moderne à Istanbul, en Turquie

Religion et communauté

Au-delà de la famille, la religion peut aussi rassembler une communauté unie par des croyances communes. La religion peut être très personnelle, mais la plupart des gens aiment la partager avec d'autres, lors d'assemblées religieuses.

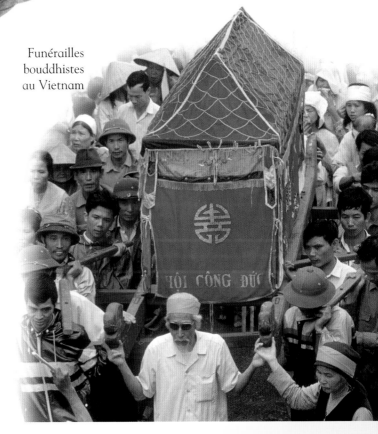

Funérailles bouddhistes au Vietnam

Des fillettes musulmanes lisent le Coran, au Nigeria.

Religion et espoir

Aujourd'hui, nous savons beaucoup de choses sur le monde. Mais de nombreux mystères demeurent. Pourquoi des malheurs arrivent-ils ? Que devenons-nous après notre mort ? Les religions offrent des réponses à ces interrogations. Certaines disent que nos âmes revivront sous une autre forme. D'autres qu'elles iront au « ciel » si nous sommes bons. Savoir ce qui nous attend après notre vie terrestre permet à certains de continuer à espérer.

Les religions traditionnelles

DÈS L'ÉPOQUE où l'Homme a commencé à regarder les étoiles en se demandant qui les avait créées, il s'est inventé une religion. Parmi les premières religions, certaines ont disparu et de nouvelles les ont remplacées. Toutefois, d'anciens rites religieux survivent encore. Les croyances traditionnelles ont toutes en commun la foi en de multiples esprits qui interviennent à tout moment dans le monde et la vie.

Les religions anciennes

D'anciennes religions n'ont pas survécu jusqu'à nos jours. Les peuples de l'Antiquité croyaient en des dieux et des déesses, les honoraient par des rites et des offrandes. Nous le savons par les œuvres d'art qu'ils ont laissées : ici, une peinture représentant Horus, dieu solaire égyptien.

Danse d'un chaman masqué au Sri Lanka

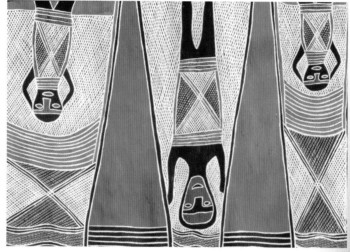

Le monde de la nature

Beaucoup de gens croient aux forces de la nature. Cette peinture aborigène d'Australie illustre le « temps du rêve », bien longtemps avant que soient créés les êtres vivants. Les Aborigènes croient qu'ils habitent l'Australie depuis le début du temps. Leur union avec la Terre, ses plantes et ses animaux influe sur tous les aspects de leur culture.

Le monde des esprits

Bien des religions traditionnelles sont basées sur la conviction que des êtres invisibles et puissants nous entourent en tout lieu. Certains tentent de leur parler et leur font des offrandes, par l'intermédiaire d'un chaman, prêtre et guérisseur. Si les esprits sont satisfaits, ils leur procureront du bonheur.

Rites et rituels

Il y a dans toutes les religions des cérémonies particulières
pour marquer les grands événements de la vie, de la naissance
à la mort. Et aussi des fêtes religieuses pour célébrer les dates
importantes de l'histoire d'une religion, ou encore une année
ou une saison nouvelles. Le chant, la musique, la danse
en font souvent partie. Ces jeunes Amérindiens participent
à une danse rituelle lors d'un pow-wow (assemblée de la tribu).

Des lieux sacrés

Le Fuji-Yama (ci-dessus) est un lieu sacré pour les shintoïstes.
Ils croient que ce volcan est le centre de l'Univers et abrite
plusieurs dieux. D'autres religions donnent une signification
particulière à certains lieux, comme des merveilles naturelles,
des temples importants, des sanctuaires, qui seraient habités
par de puissants esprits.

Jeunes Amérindiens portant
des costumes traditionnels
de leur tribu

Le culte des ancêtres

Dans les religions traditionnelles,
il est important d'honorer
les ancêtres, parce que leurs esprits
ne meurent jamais, mais vivent
dans le monde spirituel.
Des sculptures, comme ce
personnage Yoruba, sont
une façon de respecter les
esprits des ancêtres, dans
l'espoir qu'ils attireront
sur eux les bienfaits de
puissants esprits.

Statue d'ancêtre
en argile du peuple
Yoruba, au Niger

Les religions dans le monde

OÙ SONT PRATIQUÉES les principales religions? Les couleurs sur la carte représentent la principale religion de chaque région, mais les choses sont en réalité plus complexes. Ainsi, si le christianisme est encore le plus répandu, d'autres religions, comme l'islam, l'hindouisme et le bouddhisme s'étendent rapidement. Par ailleurs, tout le monde ne croit pas en un dieu ou ne pratique pas une religion. En fait, des millions de gens dans le monde n'ont ni foi ni religion.

Plusieurs visages, plusieurs religions

Il existe des régions dans le monde où se mêlent différentes nationalités et diverses religions. Vivre au milieu d'autres cultures encourage les gens à connaître et à respecter les autres religions. Ce que disent les enfants dans ce livre te permettra de découvrir les religions du monde. Tu peux ne pas être d'accord avec ce que tu liras, mais tu dois te montrer tolérant, car chacun a le droit d'exprimer sa croyance.

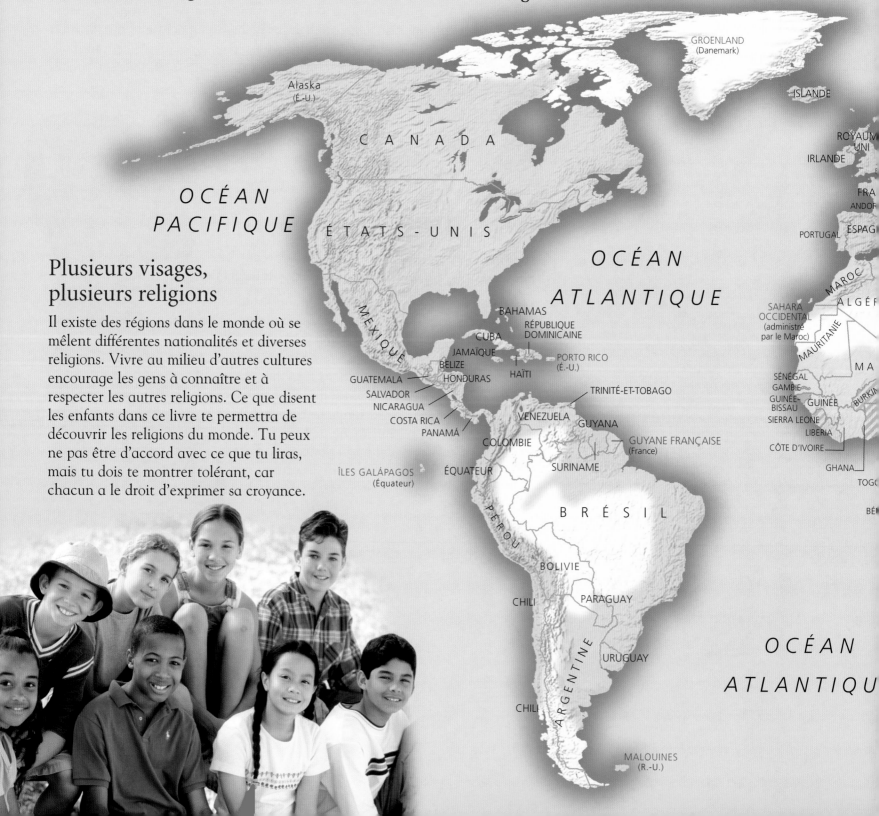

Comment se répandent les religions

Les grandes religions se sont répandues dans le monde depuis leur région de naissance. L'émigration (quitter pour diverses raisons son pays) a répandu les religions à travers le monde, car les gens emportent leurs croyances avec eux. Des missionnaires peuvent aussi partir pour tenter de convertir les gens d'autres religions à la leur. Les conquêtes militaires ou les échanges commerciaux ont également permis la diffusion des religions d'un endroit à un autre.

LES RELIGIONS DANS LE MONDE

- Christianisme
- Islam
- Bouddhisme
- Hindouisme
- Judaïsme
- Sikhisme
- Religions traditionnelles
- Sans religion
- Région inhabitée

Pour savoir quelle est la religion dominante par pays, consulte la carte et sa légende. En certains endroits, comme l'Inde, la plupart des gens pratiquent une seule religion, l'hindouisme. Ailleurs, deux couleurs indiquent qu'il y a plusieurs religions, comme le christianisme et l'islam au Nigeria. D'autres régions, la Chine par exemple, comptent en majorité des gens sans religion. Pour chaque chapitre, dans le livre, une petite carte te dira le nombre d'adeptes par religion.

Le symbole

Ceci est la forme écrite du son le plus sacré dans l'hindouisme, *aoum* (ou *om*), le son de Dieu, qui signifie tout : passé, présent et futur. Le matin, avant et après des prières ou des rituels, les hindous prononcent ou chantent à haute voix ce son sacré.

Le livre sacré

Les plus anciens écrits hindous sont quatre livres appelés Veda. *Veda* signifie « savoir ». Les hindous croient que les prières, les hymnes et les chants des Veda sont des révélations des dieux.

Krishna est représenté avec une peau bleu foncé, car son nom est celui de la couleur du ciel nocturne.

Krishna

L'hindouisme

L'HINDOUISME, apparu en Inde il y a plus de cinq mille ans, n'est pas à vrai dire une religion, mais un ensemble de traditions religieuses. Bien qu'ils expriment leur foi de différentes manières, la plupart des hindous croient en Dieu, qu'ils vénèrent sous diverses formes. Ils croient aussi qu'après leur mort, leur âme se réincarne en un autre corps.

Dieu, ses noms et ses formes

La plupart des hindous croient que Dieu est partout. Chaque chose est une part de Dieu, ainsi que des centaines de dieux et de déesses (êtres ou animaux). L'une des révélations de Dieu est un trio de divinités : Brahma qui crée le monde, Shiva qui le détruit périodiquement et Vishnou qui le conserve. De nos jours, Brahma est honoré différemment, car son œuvre – la création du monde – est terminée.

Brahma a quatre visages, pour dire les quatre Veda.

Un animal sacré

Ces enfants du Népal tentent de toucher une vache sacrée, afin qu'elle leur porte chance. Dans l'hindouisme, toute vie est sacrée. Les vaches sont traitées avec un respect tout particulier.

Shiva le destructeur danse dans un cercle de feu.

Dieux et déesses populaires

Beaucoup d'hindous honorent un dieu parce qu'il est propre à leur famille ou parce qu'il contrôle un aspect de leur vie.

AGNI Dieu du Feu et gardien des maisons

DEVI « La déesse », énergie créatrice et épouse de Shiva

GANESH Dieu du Succès

KRISHNA Dieu de l'Amour et de la Joie divine

LAKSHMI Déesse de la Prospérité, de la Beauté

PARVATI Déesse de l'Amour

SARASVATI Déesse de la Vérité et de la Sagesse

SHIVA Dieu de la Destruction et de la Re-création

VISHNOU Dieu de la Protection, de la Préservation

Ganesh a une tête d'éléphant.

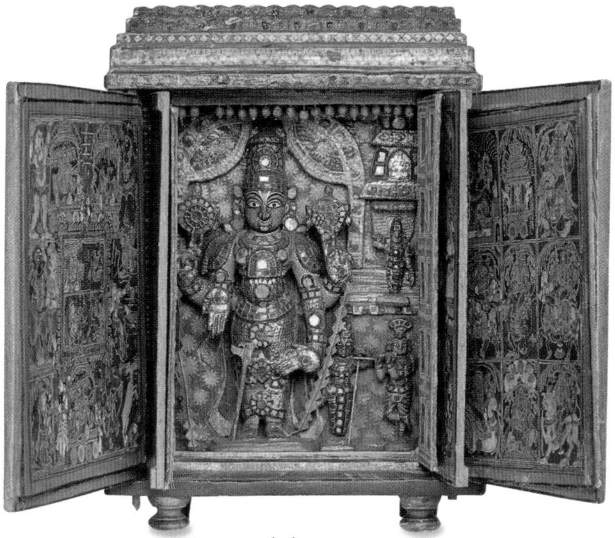

Cet autel domestique
honore Vishnou, dieu faste.

Le culte hindou

Le culte hindou se nomme *puja.* Les hindous croient que Dieu est partout dans la nature, et ils l'honorent dans tous les aspects de leur vie. Ils le prient devant des autels, chez eux ou dans des temples. Chaque autel ou temple porte l'image d'un dieu ou d'une déesse, car les croyants pensent que le seul fait de la regarder les fait rejoindre la divinité. Les hindous prient, chantent et font des offrandes à leur dieu favori.

Rivières sacrées et pèlerinages

Les rivières sont des lieux sacrés pour les hindous. S'y baigner purifie le corps autant que l'esprit, et aide à effacer les péchés (c'est-à-dire les mauvaises actions). En Inde, le Gange est le fleuve sacré le plus célèbre. Des milliers d'hindous s'y rendent en pèlerinage pour entrer dans ses eaux.

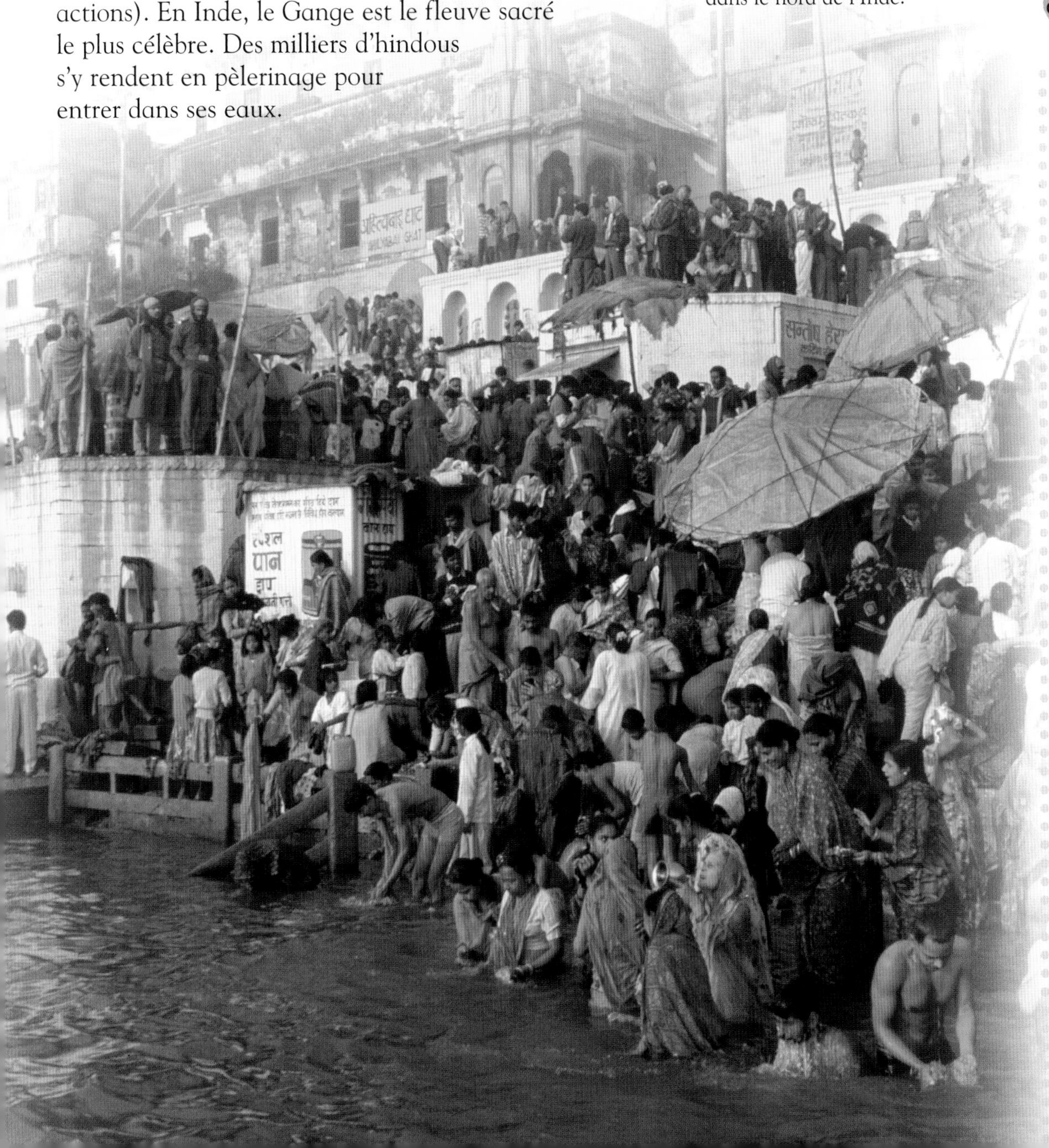

Des pèlerins se rassemblent sur les rives du Gange, à Varanasi, dans le nord de l'Inde.

Rites de passage

Les cérémonies importantes pour l'enfant hindou sont la bénédiction à la naissance, l'attribution d'un prénom par un prêtre et le rasage du crâne comme purification spirituelle.

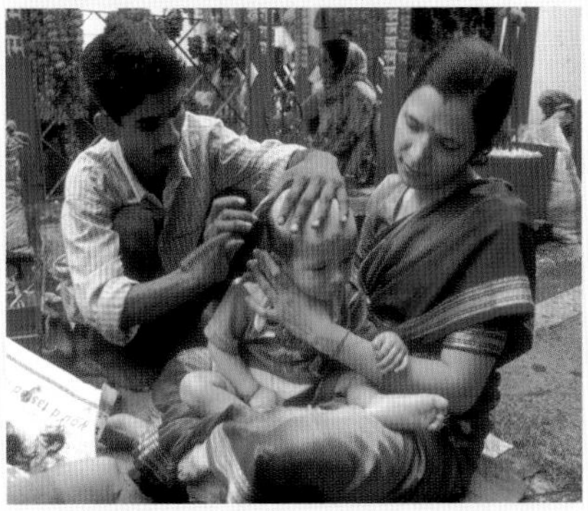

Où vivent les hindous

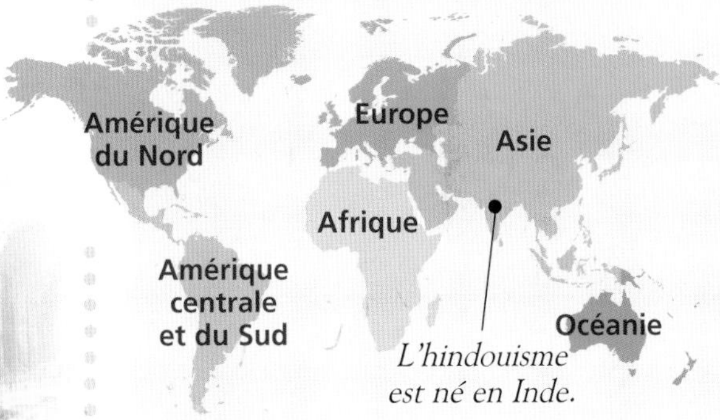
Amérique du Nord
Europe
Asie
Afrique
Amérique centrale et du Sud
Océanie
L'hindouisme est né en Inde.

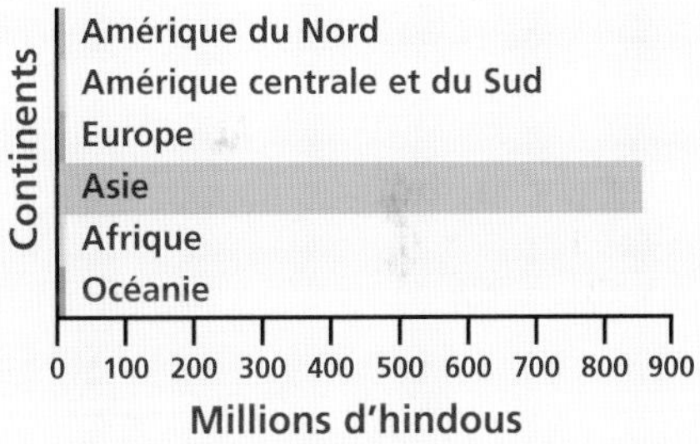
Continents
Amérique du Nord
Amérique centrale et du Sud
Europe
Asie
Afrique
Océanie
0 100 200 300 400 500 600 700 800 900
Millions d'hindous

La grande majorité des hindous – 95 % des croyants – habite en Inde. Il existe aussi d'autres communautés importantes en Afrique, en Europe et en Amérique du Nord.

Principales fêtes

Holi Fête de Printemps *Février-mars*
Mahasivaratri Fête de Shiva *Mars*
Ram Navami Naissance de Rama *Avril*
Janamashtami Naissance de Krishna *Août*
Navaratri Neuf nuits du culte de la déesse Durga *Septembre-octobre*
Dussehra Célébration de la victoire de Rama sur le démon Ravana *Le lendemain de la fin de Navaratri*
Diwali Fête des Lumières *Octobre-novembre*

Aman (Inde)

Diwali

LA FÊTE DES LUMIÈRES

MON NOM EST AMAN, j'ai 13 ans. J'aime l'art, jouer du synthétiseur et de la guitare. Et aussi le sport, surtout le cricket. Pour moi, le meilleur de l'hindouisme est que l'on peut pratiquer sa religion comme l'on veut. C'est une religion tolérante. J'aime Diwali, car les rues et les maisons résonnent de mille bruits et sont tout illuminées.

Diwali célèbre le retour du roi Rama.

Dans les rues, nous fêtons la nuit où Rama revint après avoir vaincu le démon Ravana. Des flambeaux le guident, avec son épouse, vers leur maison.

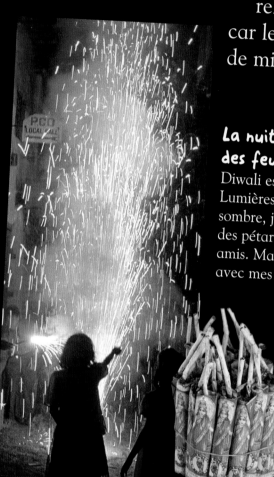

La nuit, nous tirons des feux d'artifice.

Diwali est la fête des Lumières. Dès qu'il fait sombre, je sors pour lancer des pétards avec mes amis. Mais avant, je prie avec mes grands-parents.

Feux d'artifice à la fête de Diwali

Nous peignons des motifs.

J'aide ma mère à peindre des motifs colorés à fleurs appelés *rangoli* sur nos portes. Ils accueillent les visiteurs et aussi la déesse Lakshmi, signe d'une bonne année nouvelle.

Lakshmi, déesse de la Prospérité

Shubhi

Royaume-Uni

J'aime célébrer Diwali en Angleterre, parce que lorsque l'on place des bougies autour de la maison, elle se détache de toutes les autres demeures de la rue, et c'est un spectacle splendide !

Aashti

Canada

En tant que fille de la maison, pour Diwali c'est moi qui place des « diyas » dans notre demeure et qui allume le premier. Ces lumières vont attirer Lakshmi chez nous. Diwali me permet de fêter ma religion dans un pays étranger.

La fête de Holi au printemps

Holi est une fête qui rappelle les tours joués par Krishna à Radha sa compagne. Les gens se font des farces entre eux, et il y a des cortèges bruyants. On se jette mutuellement de la poudre colorée et l'on s'asperge d'eau.

J'offre des sucreries à Diwali.

Ce jour-là, nous n'allons pas en classe, mais nous nous rendons des visites, en apportant des boîtes de bonbons. Ma famille, comme beaucoup d'autres, porte des habits neufs pour la circonstance.

Ces sucreries noires se nomment gulab jamuns.

Notre maison est belle, illuminée par les « diyas » !

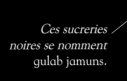

Nous envoyons des cartes de vœux.

Diwali dure cinq jours. Comme nos parents et amis n'habitent pas tous à proximité, nous leur envoyons des cartes de Diwali, pour leur souhaiter une bonne année.

Nos maisons sont illuminées.

On emploie des lampes à huile ou de petits pots emplis d'huile, appelés *diyas*. Cette année, j'ai peint et décoré plusieurs *diyas* de couleurs vives, dont j'ai orné le bord des balcons de la maison. Vue de l'extérieur, notre demeure est superbe !

Une jeune fille hindoue tient un diya.

Les lieux de prière

LE CULTE DEVANT LES AUTELS ET AU TEMPLE

JE M'APPELLE TARA et j'ai 8 ans. J'aime monter à cheval et apprendre le piano. Je suis fascinée par tous les dieux hindous. Nous avons un autel à la maison et nous allons au temple en certaines occasions, comme Diwali. En fait, les hindous peuvent prier n'importe où. Je dis mes prières au lit avant de m'endormir.

Tara (États-Unis)

Notre autel est dans la chambre de Maman.
Maman a quelques statues de dieux et un *diya* allumé quand nous prions, symbole de lumière intérieure.

Après la prière, le tilak
C'est une marque rouge sur le front, faite avec une poudre rouge ou une pâte de bois de santal. Elle nous aide à nous concentrer sur les tâches de la journée.

Une mère et sa fille en prière devant l'autel familial

Avant d'aller au temple, on fait des offrandes aux dieux.

Ce sont des bonbons, des fruits et des fleurs offerts aux dieux pendant la prière. Le prêtre les prend, les bénit et nous les rend pour que nous les distribuions. Le culte de nos dieux s'appelle *puja*.

Les offrandes au temple sont appelées *prasad*.

Statues colorées de 72 dieux et déesses

Le plus ancien temple de Singapour a été construit en 1843.

Nous offrons des douceurs et des fruits aux dieux.

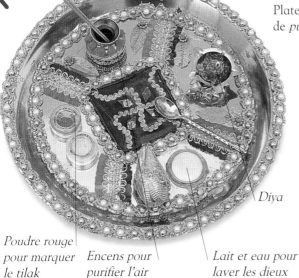

Plateau de *puja*

Diya

Poudre rouge pour marquer le tilak

Encens pour purifier l'air

Lait et eau pour laver les dieux

Le prêtre nous aide à prier.

Il prie en notre nom, car il est sage et connaît les textes sacrés. Il place les offrandes sur un plateau de *puja* pour le culte. Il s'occupe des différents dieux : il lave leurs statues avec du lait et de l'eau.

Le culte d'Arti

Tous les éléments de la Terre – le feu, l'eau, la terre et l'air – sont représentés. Chaque jour, beaucoup d'hindous vénèrent Dieu de cette façon. Après Arti, chacun partage le *prasad* béni par les dieux.

Inde

Mon dieu favori est Rama parce qu'il a lutté pour ma religion et vaincu le démon Ravana. Avoir foi en ma religion est très important pour moi, c'est pourquoi je prie Rama. Je suis allée dans un temple où il y a une statue de ce dieu.

Sonam

Mon temple est blanc et beau à voir.

Mes parents m'y emmènent en certaines occasions. Il y a là beaucoup de dieux, tous très bien décorés. Les bâtons d'encens dégagent un agréable parfum.

Les quatre buts

KAMA, ARTHA, DHARMA ET MOKSHA

MON NOM EST SHIVANI. Il y a chez moi un autel dédié à Shiva, devant lequel nous prions tous les jours. J'aime aider les autres et plus tard je voudrais devenir infirmière. Ma religion m'instruit sur le bien et le mal, sur l'importance de respecter les règles, de suivre la voie de Dieu, d'être bon envers les autres. Respecter les quatre buts de la vie me guide pour être une personne responsable.

Shivani (Australie)

Il est important pour les hindous d'aider leur famille.

Le principe de l'Artha est lié à la richesse ; cela signifie être sérieux à l'école ou au travail pour réussir le mieux possible. Certains enfants le font en aidant leurs parents à la maison. D'autres gagnent leur argent de poche.

Roupies indiennes

Le Kama se réfère aux plaisirs de la vie.

J'aime jouer de la guitare, exécuter des danses hindoues, faire des *puri* (galettes de pain frites) et jouer avec les lumières pour Diwali.

Ces enfants aident à la moisson dans le nord de l'Inde.

Bien traiter les animaux fait partie du Dharma.

C'est pourquoi beaucoup d'hindous sont végétariens (ils ne mangent pas de viande). Il est important de soigner les animaux, de les traiter avec douceur. Le Dharma nous demande d'accomplir notre devoir envers Dieu, notre famille, nous-même et les autres.

États-Unis

L'hindouisme nous apprend à faire le bien sans rien demander en retour. Il faut savoir apprécier l'amitié. Si l'on aide un ami dans le besoin, on ne lui dira pas en retour : « S'il te plaît, aide-moi, toi aussi. »

Vipul

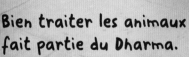

Je m'applique à l'école.

Ma matière préférée, ce sont les maths, et j'essaie d'être la meilleure. Je trouve les divisions difficiles. Heureusement, mes parents me font faire des exercices à la maison. J'essaie aussi de respecter mes parents et mes professeurs. Les hindous croient que nous serons respectés si nous respectons les autres.

Nous, les hindous, devons être gentils, serviables et respectueux des autres.

Le yoga est un ensemble d'exercices physiques et mentaux.

Ces deux personnages illustrent le cycle de la vie et de la renaissance.

Être heureux dans ma prochaine vie

On ne m'a pas appris ce qu'est la réincarnation, mais je sais qu'après la mort, on revient sous la forme d'un autre être. Si je me comporte bien dès maintenant, ma vie sera heureuse quand je reviendrai. Je comprendrai mieux en grandissant.

Les trois premiers buts nous enseignent comment bien vivre.

Le quatrième est le Moksha, ou libération, qui s'applique à notre relation avec Dieu. S'il a été satisfait de notre conduite dans les trois premiers buts, nos bonnes actions sont alors récompensées. Les hindous pensent qu'on se rapproche du Moksha en pratiquant le yoga.

Un sadhou consacre sa vie à l'hindouisme.

Je crois que les sadhous sont des messagers de Dieu. Ils vivent parmi nous, mais à l'écart, car ils se préparent à la prochaine vie. Ils négligent leur chevelure, ne possèdent rien et vivent d'aumônes.

Inde

Je pense que c'est bien de dire toujours la vérité et d'obéir à nos aînés. On peut aider à la maison. Et l'on doit manger à l'heure et aller ensuite jouer dehors.

Adya

Anant

Inde

Il ne faut jamais dire de mensonge. Nous devons aussi nous laver les mains avant de manger et d'aller au lit. Il ne faut jamais manger de la nourriture tombée par terre.

Le mariage

UN MARIAGE HINDOU

JE ME NOMME TRISHAL, j'ai 12 ans, j'adore aller à la plage et surfer sur Internet. J'aime être hindoue à cause du message de paix que comporte ma religion. Cette dernière nous enseigne que se marier et avoir une famille est une étape importante de la vie. Les mariages sont souvent arrangés par les parents, qui aiment choisir un conjoint convenable pour leur fils ou leur fille.

Trishal (Singapour)

La fiancée porte un sari rouge incrusté de dorures et beaucoup de bijoux en or.

La cérémonie de Mehndi.

Le mariage unit deux personnes et aussi deux familles. Avant le mariage, les parentes de la fiancée décorent ses mains avec du henné, une pâte de couleur rouge. Ces dessins sont appelés *mehndi*.

Les mariés sont splendides.

Cadeaux de mariage

Les mariés s'offrent des guirlandes de fleurs. Il y a aussi des cadeaux pour les autres membres de la famille.

Le fiancé arrive à cheval.

Le cheval est richement harnaché, avec une belle selle. Les invités suivent le marié en cortège. La mère de la fiancée accueille aimablement le futur mari et le guide vers le pavillon *(mandapa)*, sous lequel s'asseyent les futurs époux.

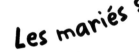

Les fiancés échangent leurs promesses.

Un prêtre préside la cérémonie. On fait des prières aux dieux, et il y a des rites particuliers. Les mariés sont reliés par un fil blanc, qui signifie qu'ils sont unis. Ils font ensuite sept fois le tour d'un feu sacré, chacun représentant une de leurs sept promesses pour leur vie commune future. Après cela, ils sont officiellement mari et femme.

Le fiancé et les garçons invités portent parfois le turban.

Le prêtre noue un fil blanc autour des futurs époux.

Chacun s'habille avec soin pour l'occasion.

Les garçons portent parfois des turbans, comme les hommes. Après le mariage, on jette des fleurs et du riz sur le couple. Puis on se réunit chez les parents de la mariée et du marié pour un repas et des réjouissances.

Une statue de Ganesh est placée au coin du « mandapa ».

Lorsqu'un hindou entreprend quelque chose, il prie Ganesh, le dieu du Succès. Aussi, c'est le dieu le plus important lors d'un mariage.

Statue de Ganesh

Feu sacré purificateur

Pétales de fleurs symbolisant la beauté

Noix de coco signifiant la fertilité

Australie
Lors du mariage, les futurs époux échangent un serment devant le feu, pour dire qu'ils s'engagent à rester ensemble toute leur vie. Le feu est un véritable feu.

Roja

Inde
Je n'ai jamais assisté à un mariage, mais j'espère que je le ferai un jour. J'aime les fêtes hindoues, surtout Diwali. Nous remercions la déesse Lakshmi, et recherchons sa bénédiction et sa protection.

Deepika

Le bouddhisme

LE BOUDDHISME n'est pas une religion comme les autres. Les bouddhistes suivent les enseignements du Bouddha, son fondateur. Le Bouddha ne croyait pas en un dieu suprême, aussi les bouddhistes ne le vénèrent-ils pas comme un dieu, mais le respectent, comme tout être vivant. Ils croient que la vie se déroule selon un cycle sans fin : la vie, la mort, la renaissance. Ceux qui vivent simplement se rapprochent de l'état d'«Éveil», but des bouddhistes.

Le symbole

La roue du *dhamma* (enseignement) est le symbole du bouddhisme. C'est le Bouddha qui l'aurait mise en mouvement. Elle représente aussi le cycle de la vie et de la réincarnation.

Les livres sacrés

Le Bouddha mort, ses disciples écrivirent ses enseignements sur des feuilles de palme et mirent le manuscrit dans trois corbeilles. Ce sont les *tipitaka*, ou trois corbeilles.

La vie du Bouddha

Le Bouddha, nom par lequel est désigné Siddharta Gautama, est né en Inde au Vᵉ siècle av. J.-C. Ce prince vit un jour la mort, la douleur et la maladie, et rencontra un saint homme ayant acquis la paix de l'esprit. Le Bouddha médita profondément sur cela et parvint à connaître l'«Éveil».

Un geste de la main appelé mudra, *qui signifie «signe» ou «symbole».*

Les gestes du Bouddha

Dans l'art bouddhique, les gestes des mains ont une signification spéciale.

Le Bouddha a souvent une main levée ; c'est un signe de bénédiction et d'audace.

Une main ouverte exprime la générosité. Le Bouddha enseignait avec une main ouverte.

La main droite du Bouddha touchant le sol rappelle que la Terre est le témoin de la vérité.

Ici, le pouce et l'index forment le *dhamma*, un geste d'enseignement.

Le culte bouddhiste

Cet enfant birman se tient devant un autel dans un temple bouddhiste. Les bouddhistes se rendent dans les temples et les monastères pour méditer sur les enseignements du Bouddha et célébrer les fêtes. Dans les maisons, il y a des autels avec des images et des statues du Bouddha, entourées de bougies, de fleurs, de petites cloches ou de bâtons d'encens.

Un lieu de pèlerinage

Les bouddhistes croient qu'il existe des lieux sacrés – édifices, montagnes ou arbres – qui méritent d'être spécialement fréquentés. Ce temple est important parce qu'il fut construit sur le lieu où le Bouddha parvint à l'Éveil. Le temple de Mahabodhi est situé à Bodh-Gaya, en Inde. La tour mesure 54 m de haut et ses murs en brique sont décorés de sculptures. Une statue dorée gigantesque du Bouddha se trouve à l'intérieur.

Des écoles de bouddhisme

Les bouddhistes croient en la vérité des enseignements du Bouddha, mais pensent qu'il y a différentes voies pour atteindre à cette vérité. Les bouddhistes Theravada sont encouragés à devenir moines ou religieuses, et à suivre le plus scrupuleusement possible les préceptes du Bouddha. Les bouddhistes Mahayana pensent qu'il n'est pas nécessaire d'entrer dans un monastère pour parvenir à l'Éveil.

Moulin à prières utilisé par les bouddhistes Mahayana tibétains

Moines et moniales Theravada portent des robes de couleur orange teintes avec des plantes.

Rites de passage

Certains bouddhistes deviennent des moines novices : ils se rasent le crâne et vivent simplement. D'autres font une bonne action en nourrissant les moines.

Principales fêtes

Parinirvana (Mahayana) Mort du Bouddha *Février*
Hana Matsuri (Mahayana) Naissance du Bouddha *Avril*
Wesak (Theravada) Naissance, mort et Éveil du Bouddha *Avril*
Obon (Mahayana) Histoire du Bouddha *Juillet*
Esala Perahera (Theravada) Fête de la Dent *Juillet-août*
Kathina (Theravada) Offrandes aux monastères *Octobre*
Jour du Nirvana (Mahayana) Éveil du Bouddha *Décembre*

Où vivent les bouddhistes

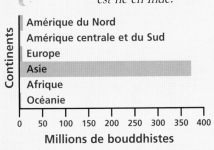

Le bouddhisme est né en Inde.

Il y a environ 500 millions de bouddhistes dans le monde. Ils vivent pour la plupart en Asie, où est né le bouddhisme.

Devenir un moine

LA VIE SELON LES ENSEIGNEMENTS DU BOUDDHA

MON NOM EST JANG-CHUB et j'ai 11 ans. L'an dernier, j'ai quitté ma famille et mes amis pour devenir moine novice. Je vis et étudie dans un monastère bouddhiste, mais je n'ai pas encore prononcé mes vœux pour y rester définitivement. Mon père m'a aidé à devenir novice quand j'ai eu 10 ans, mais certains enfants l'ont fait à 8 ou 9 ans. Ce que j'aime le plus c'est l'apprentissage du *dhamma*, les enseignements du Bouddha.

Jang-chub (Tibet)

Au monastère, nous avons tous le crâne rasé.

Un ami m'a rasé les cheveux. Nous portons tous la même robe de couleur rouge. Dans le monde extérieur, les habits et les cheveux peuvent distraire les gens de l'enseignement du Bouddha.

Pour moi, le « dhamma » est le plus important.

Nous essayons de suivre la voie du Bouddha.

Quand un garçon entre au monastère, c'est un grand honneur pour sa famille. Certains ont d'abord des habits de fantaisie pour parader dans la rue. Ils vont au temple pour une grande cérémonie, ils portent alors la robe de couleur unie.

Bol à aumônes

Tissu de robe

Fil et aiguilles

Rasoir

Corée du Sud

Je me lève à 4 heures du matin pour prier devant la statue du Bouddha. J'ai appris à jouer du tambour de bois lors des prières. Quelquefois, nous allons en pique-nique.

Seong-ho

Nous avons peu de besoins.

Au monastère, on nous donne ce qu'il faut pour vivre. Nous portons des robes de couleur unie et des sandales et avons un rasoir pour nous raser le crâne. Certains moines disposent d'un bol à aumônes, mais pas les moines tibétains.

Des moines novices reçoivent
des aumônes.

Une nourriture simple

Les gens offrent parfois de la
nourriture aux moines et de l'argent pour
le temple. Au petit déjeuner, nous avons du thé
tibétain avec du beurre salé, du pain et du ragoût de
pommes de terre. À midi, des lentilles, du riz, des
légumes et de la viande. Parfois de la soupe au dîner.

Soyons bons envers toutes les créatures.

Au monastère, nous
avons des chiens, un
perroquet, des poissons
et un corbeau. Il nous
est enseigné de ne blesser
ni tuer aucun être vivant.
On apprend à ne pas voler,
à ne pas mentir ou
être méchant,
et à ne pas
se marier.
C'est facile
à retenir !

Ce novice
prend soin
d'un chiot.

J'aime beaucoup étudier.

Le matin, nous avons une heure de
népalais. Après le déjeuner, on lit des
textes tibétains. Avant l'heure du thé,
on étudie le tibétain. Si l'on manque un
cours, on a une amende de 25 roupies.

J'ai du temps libre.

Avant le déjeuner et après
le thé, j'ai du temps libre.
Je révise, mais j'aime aussi
jouer. Le dimanche, je peux
sortir du monastère pour aller
voir ma famille et mes amis.

Wesak

LE JOUR DU BOUDDHA

JE M'APPELLE JEFFREY et j'ai 8 ans. Plus tard, je voudrais devenir dentiste ou pianiste. J'aime jouer aux échecs. Quand mon frère était encore en vie, il jouait avec moi, il m'apprenait à toujours essayer, sans jamais abandonner. Aujourd'hui, j'essaie d'être aussi bon que lui. Je vais de temps en temps au temple. J'aime les chants psalmodiés et je suis heureux quand je les entends. Ma fête préférée est Wesak qui célèbre la naissance du Bouddha.

Jeffrey (Canada)

J'aide à laver le Bouddha pour qu'il me protège.

On suspend des lanternes.
Dans le monde entier, les bouddhistes décorent les temples et les arbres avec des lanternes et des bougies, afin de penser aux enseignements du Bouddha. Il y a aussi des processions dans les rues avec des bougies allumées.

Chacun essaie d'être bon.
Nous fabriquons des lanternes, nous envoyons des cartes de vœux. Le Bouddha nous a appris à ne blesser personne et à nous aimer les uns les autres. Ne pas manger de viande le jour de Wesak rappelle que le Bouddha respectait les êtres vivants.

Pour Wesak, ma mère achète des fleurs et des fruits.
Ce sont des offrandes pour le temple, qui en est rempli. Les gens les déposent devant la statue. Je salue le Bouddha et pense à mon frère en chantant et en méditant.

Nous lavons le Bouddha.
Au temple, j'aide à laver les petites statues du Bouddha enfant. Elles sont souvent couvertes de pétales de fleurs. Le moine nous offre des chapelets pour l'anniversaire du Bouddha. Enroulés à nos poignets, ils nous portent chance.

Des fleurs, comme ces lotus, sont offertes au Bouddha.

Hana Matsuri

Au Japon, la fête qui célèbre la naissance du Bouddha s'appelle Hana Matsuri, ou fête des Fleurs. Les enfants fabriquent des fleurs en papier pour rappeler les beaux jardins où naquit le Bouddha.
Ils mettent leurs plus beaux habits et marchent à côté de chars chargés de fleurs qui se rendent en procession au temple.

À la nuit tombée, nous défilons avec des lanternes illuminées.

Nous avons aussi des lanternes pour la fête de la Lune. Les enfants peuvent alors se coucher tard et jouer avec les lanternes jusqu'au lever de la pleine lune. Certains prient la Lune parce qu'ils croient qu'un ange y réside.

Suzzane

Bornéo
Pour Wesak, je lave le Bouddha. Le moine distribue des fleurs et on les emploie pour le lavage. Les fleurs sentent très bon.

Leanne Son

Australie
Je vais au temple en certaines occasions. On prépare de la nourriture et on la sert aux moines, qui prient les dieux et nos ancêtres.

Le culte

LA DÉVOTION AU BOUDDHA

BONJOUR, MON NOM EST MAIKO. J'aime écouter de la musique pop et me promener avec notre chien. J'ai voyagé en Allemagne et en Australie. Je rêve de visiter beaucoup de pays et de rencontrer des gens sur mon chemin. Je vis dans un temple, car mes parents sont prêtres. Mon père m'a appris lorsque j'avais 3 ans à réciter un sutra (écriture) appelé O-Kyo. Le bouddhisme nous apprend à nous connaître et à revoir sans cesse notre comportement.

Maiko (Japon)

Les bouddhistes psalmodient chez eux.
Je me sens calme et détendu quand nous récitons des sutras. C'est un rite très important pour nous.

Une religieuse en Écosse devant l'autel de sa chambre

On récite O-Kyo avec des chapelets de perles.
Pour réciter le sutra, on égrène les perles du *juzu*. La plupart des *juzu* disposent de 108 perles.

Chaque grain représente un souhait que l'on veut voir exaucer.

Ma religion m'accompagne à tout moment.

Notre temple est aussi notre maison.
L'édifice principal, au milieu de l'ensemble du temple, est appelé *hondo*. Mon lieu préféré est le centre du *hondo*, l'Amida-Sama, où se trouve la statue du Bouddha. Je suis heureuse quand je me trouve là.

Un gong est devant le temple.
On le frappe dix fois chaque jour quand le soleil se couche et lors des fêtes religieuses. Je le fais depuis mon enfance et j'aime beaucoup cela.

Hoang

Vietnam
Je vais sur la tombe de mes grands-parents. J'allume de l'encens et je prie le Bouddha pour qu'il veille sur eux. J'espère qu'il m'entend.

Zoé

États-Unis
Le bouddhisme est apaisant. Avec mon frère, nous chantons pour triompher des difficultés et pour le bonheur des autres. Quand on me demande ce qu'est l'autel, je dis que c'est là que l'on prie.

Offrande de riz
et de fleurs

Des bannières de prière

Quand souffle le vent, les bannières de prière flottent. Elles attirent la bénédiction des dieux pour la santé et le bonheur de tous les hommes.

Le Bouddha veille sur nous et nous protège.

Au temple, on s'assied par terre sur des nattes. Nous suivons les instructions du grand prêtre. On allume des bougies et l'on récite le O-Kyo, en brûlant de l'encens pour nous purifier.

On remercie le Bouddha par des offrandes.

On ne donne pas d'argent. Travailler pour le temple ou répandre ses enseignements est aussi important.

Esala Perahera

LA FÊTE DE LA DENT

JE M'APPELLE HASINI, j'ai 10 ans, et j'aime collectionner des timbres et des autocollants. J'adore lire et je voudrais devenir une scientifique. Je vais au temple une ou deux fois par semaine. L'édifice est peint à la chaux, et de hautes marches conduisent à la statue du Bouddha. Chaque année, nous célébrons une fête en l'honneur de la dent du Bouddha.

Hasini (Sri Lanka)

Les éléphants avancent lentement et fièrement.

J'ai vu la dent du Bouddha deux fois.

La dent de couleur marron foncé mesure 4 cm. Elle est sur un socle en velours, sous un couvercle de verre. Elle est si précieuse qu'un temple a été construit à Kandi, pour l'abriter. Pendant la fête, la dent est portée en procession à dos d'éléphant.

Le Raja – un très grand éléphant – porte la dent sous un dais.

Le coffret est en or incrusté de pierres précieuses.

L'intérieur du temple de la Dent

Il y a d'abord la cérémonie du Kap.

La veille de la fête, on plante près du temple une branche de jaquier n'ayant jamais porté de fruits. La fête peut alors commencer.

Le jaque, ou fruit du jaquier, peut peser jusqu'à 30 kg.

Sri Lanka

La procession est courte au début de la fête. Elle s'allonge de plus en plus chaque jour quand d'autres éléphants la rejoignent. La nuit, ils sont couverts de petites ampoules lumineuses. J'ai vu la dernière fois cent treize éléphants, avec deux éléphanteaux.

Dilrupa

Une année, j'ai compté cinquante-cinq éléphants.

D'habitude, je regarde le cortège depuis le balcon de la boutique d'un ami. Le plus beau, ces sont les éléphants. Ils sont revêtus de couleurs vives, chaque couleur représentant un dieu différent. Quelquefois, ils sont saupoudrés de poussière d'or. La fête dure deux semaines.

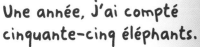
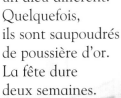

Le spectacle et les bruits sont très stimulants.

Quand le défilé commence, on entend d'abord le bruit des pétards. Il y a ensuite des tambours, des danseurs, des marcheurs sur échasses, des acrobates et des chanteurs. J'ai vu aussi les chars des dieux très colorés. Tout est paré d'or et de bijoux. Je me suis bien amusée avec ma famille, et surtout avec mes cousins. Nous avons admiré le spectacle ensemble.

Les danseurs qui suivent les éléphants ont les costumes les plus chatoyants.

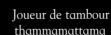

Joueur de tambour
thammamattama

Cracheurs de feu jonglant avec leurs torches

Le symbole

Le *khanda* comporte plusieurs symboles. Au centre, une épée à deux tranchants représente le pouvoir divin de Dieu. Le cercle montre qu'il n'a ni commencement ni fin. Deux poignards croisés (appelés *kirpan*) représentent la responsabilité d'un sikh devant Dieu et la communauté.

Le livre sacré

Le recueil des textes sacrés sikhs est appelé le gourou Granth Sahib. Les sikhs croient que ce livre est la parole vivante de Dieu. Ils lui témoignent leur respect, lorsqu'ils le lisent, en l'éventant avec une *chauri* (éventail de poils d'animal).

Le gourou Nanak

Le sikhisme

LE BEAU TEMPLE D'OR consacré au sikhisme a une porte sur chacun de ses côtés, afin de montrer qu'il est ouvert aux habitants des quatre coins du globe. De même, le sikhisme est une religion ouverte à tous, dans laquelle chacun est égal aux yeux du seul vrai Dieu. Le sikhisme (*sikh* signifie « disciple » ou « étudiant ») ne date que de cinq cents ans, et il est basé sur les idées du gourou Nanak, son fondateur.

Le gourou Granth Sahib et une *chauri*

Le culte des sikhs

Les sikhs se réunissent chaque jour pour prier dans un édifice appelé *gurdwara*. L'office comprend des prières, des lectures du gourou Granth Sahib et des chants (appelés *kirtan*) accompagnés par des instruments de musique, comme des sitars et des tambours.

Plus près de Dieu

Au Pendjab, dans le nord de l'Inde, ces enfants se baignent dans les eaux entourant le Temple d'or. C'est l'un des lieux sacrés les plus importants pour les sikhs, et les visiteurs sont très nombreux. Les sikhs croient que Dieu les guide à travers les enseignements du gourou Granth Sahib. En retour, ils peuvent se rapprocher de Dieu en le vénérant et en servant la communauté sikhe.

Sitar

Les bases du sikhisme

La religion sikhe a été fondée par le gourou Nanak (1469-1538). Un gourou est un maître spirituel. Né près de Lahore (aujourd'hui au Pakistan), Nanak fut élevé comme un hindou, mais eut l'idée d'une nouvelle religion. Il enseigna que chacun peut accéder au seul véritable Dieu, sans rites particuliers ni l'aide de prêtres, et que chacun est égal aux yeux de Dieu.

Les dix gourous

Avant sa mort, Nanak désigna un successeur. Après lui, neuf hommes en tout furent nommés gourous (portraits ci-dessus). Le livre sacré, le gourou Granth Sahib, est aujourd'hui le vrai gourou du sikhisme.

L'obligation du *seva*

Les sikhs essaient de faire du bien et d'aider les gens ; c'est un devoir appelé *seva*. Beaucoup font des tâches ménagères au *gurdwara,* comme du rangement, la cuisine, ou le service des repas de la communauté. Ils font aussi l'aumône aux nécessiteux.

Rites de passage

Chaque enfant sikh reçoit un nom. Le gourou Granth Sahib est ouvert au hasard et la première lettre du premier mot de la page de gauche devient celle du nom du bébé, à qui l'on offre un bracelet d'acier, signe de sa religion. Plus grand, il pourra choisir d'entrer dans le Khalsa, un groupe de sikhs militants.

Où vivent les sikhs

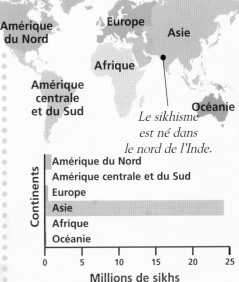

Amérique du Nord

Europe

Asie

Afrique

Amérique centrale et du Sud

Océanie

Le sikhisme est né dans le nord de l'Inde.

Continents

Continents	
Amérique du Nord	
Amérique centrale et du Sud	
Europe	
Asie	
Afrique	
Océanie	

0   5   10   15   20   25

Millions de sikhs

La plupart des sikhs vivent dans la partie indienne du Pendjab, une région divisée entre l'Inde et le Pakistan. Près d'un million de sikhs résident hors du Pendjab, en particulier au Canada, au Royaume-Uni et aux États-Unis.

Principales fêtes

Anniversaire du gourou Gobind Singh *Janvier*
Hola Mohalla Fête des Arts martiaux *Février-mars*
Baisakhi Fondation du Khalsa et du sikhisme *Mars-avril*
Martyre du gourou Arjan *Juin*
Diwali Libération de prison du gourou Hargobind *Octobre-novembre*
Anniversaire de Nanak *Novembre*
Martyre du gourou Tegh Bahadur *Décembre-janvier*

Une journée au « gurdwara »

UN LIEU DE CULTE SIKH

MON NOM EST VIJAYANT, j'ai 14 ans. J'aime les ordinateurs, le tennis et le cricket, et aussi le surf. J'espère étudier le droit et devenir avocat. J'aime appartenir à une communauté sikhe et je trouve important de passer ensemble une journée pour célébrer le culte. Je vais au *gurdwara* avec mes parents une fois par mois et pour certaines cérémonies.

J'aime l'ambiance paisible du temple, et c'est toujours pour moi une journée très particulière.

Vijayant (Australie)

« Gurdwara » signifie la maison du gourou.

Mon *gurdwara* a plusieurs coupoles et une salle de cérémonies. Il est décoré de portraits des gourous et de scènes religieuses. Il y a aussi un *langar* où l'on s'assied pour manger.

Avant d'entrer, on ôte ses chaussures.

Il faut aussi se couvrir la tête en signe de respect. Un gardien veille sur les chaussures de ceux qui sont à l'intérieur. C'est une forme du *seva* (rendre service à autrui).

J'aime la musique et le chant.

Pendant les cérémonies, on chante des prières (les *kirtan*) figurant dans le gourou Granth Sahib. Je ne les ai pas encore apprises par cœur. Des musiciens jouent du *tabla* (tambour) et de l'harmonium. J'aimerais en jouer, car il y a des sons qui rapprochent de Dieu.

Être assis sur le sol nous rend tous égaux.

Le gourou Granth Sahib est placé habituellement sur un coussin, déposé sur une estrade, devant l'assistance. Le matin, on le porte dans la grande salle et on le manipule avec respect. En entrant, je monte sur l'estrade et je m'incline devant. Puis je fais des dons d'argent. Pendant la cérémonie, le livre sacré est délicatement éventé avec une *chauri*. Le soir, le gourou Granth Sahib est rangé dans un endroit particulier.

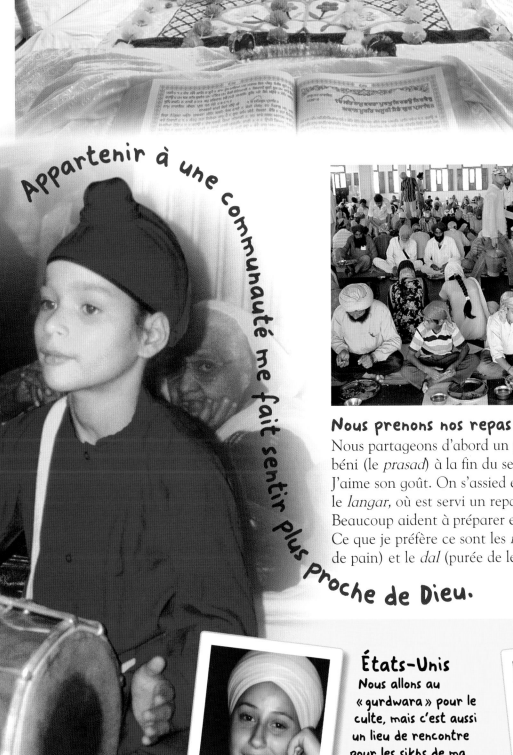

Appartenir à une communauté me fait sentir plus Proche de Dieu.

Nous prenons nos repas ensemble.

Nous partageons d'abord un gâteau sucré béni (le *prasad*) à la fin du service. J'aime son goût. On s'assied ensuite dans le *langar*, où est servi un repas sans viande. Beaucoup aident à préparer et servir les mets. Ce que je préfère ce sont les *roti* (galettes de pain) et le *dal* (purée de lentilles).

Certains enfants vont à l'école au « gurdwara ».

Garçons et filles apprennent à lire le gourou Granth Sahib. Je voudrais en savoir davantage sur l'histoire du sikhisme.

États-Unis

Nous allons au « gurdwara » pour le culte, mais c'est aussi un lieu de rencontre pour les sikhs de ma ville, Houston. Là-bas, je peux y voir mes amis.

Guruamrit

Royaume-Uni

Au « gurdwara », nous prions devant une grande bannière. Un homme agite un bâton avec des cheveux du gourou. Nous offrons de l'argent. Nous prenons du « prasad », puis nous nous essuyons les mains sur un linge.

Malkeet

Baisakhi

LA FÊTE DE PRINTEMPS DU KHALSA

MON NOM EST SHEETAL, j'ai 9 ans. J'ai un frère et une sœur, et plus tard je voudrais devenir professeur. Le jour le plus mémorable de ma vie est celui où j'ai visité le Temple d'or, à Amritsar. J'ai du mal à exprimer ce que j'ai ressenti ce jour-là. J'essaie de retrouver ce sentiment lors de Baisakhi, la fête de Printemps célébrant la fondation du Khalsa.

Sheetal (Royaume-Uni)

Les combats à l'épée et les cortèges sont impressionnants.

Les cinq bien-aimés, les premiers membres du Khalsa

Le Khalsa a été fondé par le dixième gourou Gobind Singh. Il demanda qui donnerait sa vie pour la religion sikhe. Cinq hommes s'avancèrent : on les appela les bien-aimés, les fidèles.

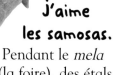

Samosas

Le début du nouvel an sikh

Au matin, le fanion du *gurdwara* est abaissé. Le mât est lavé, et un fanion neuf est hissé pour l'année suivante.

J'aime les samosas.

Pendant le *mela* (la foire), des étals offrent toutes sortes de nourriture du Pendjab.

Quand le fanion est abaissé, on lave le mât avec du lait ou du yaourt et de l'eau.

Le Nagar Kirtan, un défilé dans la rue

Il part du *gurdwara* et y revient, précédé par les joueurs de tambours traditionnels du Pendjab. Il y a ensuite des combattants de *gatha*, un art martial. J'aime voir ces hommes croiser leurs épées dans des combats simulés. Tout le monde suit le défilé en chantant.

Le gourou Granth Sahib est promené dans les rues.
Dans beaucoup de fêtes, le livre sacré fait partie de la procession.
Il repose sur des coussins, placés sur un trône appelé *palki sahib.*
Ce trône est drapé de blanc, sous un baldaquin couvert de fleurs.
Certains hommes qui le tirent portent des turbans bleus ou des
ceintures sur leurs robes jaunes, identiques à celles des cinq bien-aimés.

Des ballons
orange et bleus
ajoutent de la
couleur à la fête.

C'est amusant d'aller au « mela ».
J'ai pris part à la dernière Baisakhi avec
mes cousins. Nous étions vingt
en tout ; on nous a permis de veiller tard,
car nous n'avions pas classe le lendemain.
J'admire les costumes et
les turbans des danseurs
de bhangra.

Inde
À Baisakhi, nous allons
au temple et nous
mangeons du « lungha ».
Nous prions et faisons
des dons de charité. Je
portais des cheveux longs,
mais cela me gêne, aussi
ai-je décidé de les couper.

Prithvi

Le Khalsa

UNE COMMUNAUTÉ PARTICULIÈRE

JE M'APPELLE BHAVKEERAT, j'ai 14 ans. J'aime la musique et le vélo. Je vais à l'école secondaire d'Amritsar, la ville du Temple d'or. J'y étudie le sikhisme et d'autres matières. Plus tard, je serai médecin, comme mes parents. Je vais au *gurdwara* presque chaque jour. J'aime écouter le *kirtan,* manger le *prasad* et aider au service des repas. Dans ma religion, c'est un grand privilège d'entrer dans le Khalsa.

Bhavkeerat (Pendjab)

Kangha (peigne)

Kaccha (pantalon court)

Les cinq K de notre religion

Les membres du Khalsa portent cinq emblèmes commençant par la lettre K : *kesh* (des cheveux non coupés), *kangha* (un peigne en bois), *kaccha* (pantalon court), *kirpan* (un poignard à double tranchant), *kara* (un bracelet en acier) représentant la puissance infinie de Dieu.

Kirpan (poignard)

Kara (bracelet)

Le turban des sikhs

C'est une longue pièce de tissu, enroulée et nouée autour de la tête. Les membres du Khalsa ne coupent pas leurs cheveux ; le turban les maintient et les garde propres. Il témoigne du respect pour le gourou Gobind Singh, fondateur du Khalsa. Quand je nage, je ne porte que le *patka.*

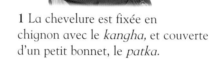

1 La chevelure est fixée en chignon avec le *kangha,* et couverte d'un petit bonnet, le *patka.*

2 Le turban est enroulé plusieurs fois autour de la tête.

3 Le bout restant est noué et rentré sous le tissu enroulé. Certains ajoutent le symbole du *khanda.*

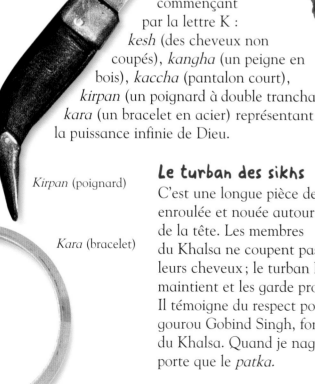

Cinq membres conduisent la cérémonie de l'« amrit ».

Dans le Khalsa, on les appelle les *panj piare* ; ils représentent les cinq bien-aimés. Ils rappellent aux disciples les devoirs d'un sikh. Avec une épée, ils mélangent de l'eau et du sucre dans un *batta* (cuvette en acier), pour préparer la boisson appelée *amrit*. Ils offrent ensuite cinq gorgées d'*amrit* à chacun de ceux qui veulent entrer dans le Khalsa.

Quiconque veut entrer dans le Khalsa doit s'asseoir devant le gourou Granth Sahib pour prier et boire de l'*amrit*.

Il est très important de porter les cinq K.

Je me prépare pour le Khalsa.

Je pense que j'entrerai dans le Khalsa un peu plus tard, après avoir terminé mes études. J'en ai parlé à mes grands-parents et ils sont d'accord. Ils y sont entrés, il y a quelques années. Les filles comme les garçons y sont admis.

Ces jeunes gens vont entrer dans le Khalsa et portent les cinq K. Leurs cheveux non coupés sont coiffés de la *patka*.

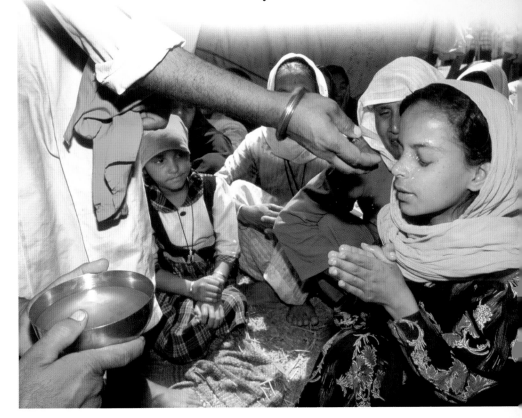

Royaume-Uni

Entrer dans le Khalsa est très important. J'ai toujours gardé mes cheveux longs et je pense le faire toute la vie. Ma religion m'occupe beaucoup, et je vais à l'école pendjabi deux fois par semaine.

Jasdip

On asperge d'« amrit » les yeux et la tête du disciple.

Les *panj piare* font cela pour toute personne entrant dans le Khalsa, pendant qu'elle chante des chants religieux. Ensuite, tout le monde est invité à boire *l'amrit* dans le même *batta*. Il n'y a pas de musique ou de bénédiction particulière pour l'entrée dans le Khalsa. À la fin de la cérémonie, chacun partage un peu de *prasad*.

Hola Mohalla

La fête des combats simulés

Je m'appelle Gurkaran et j'ai 12 ans. Je m'intéresse à la météorologie. J'aime ma religion parce qu'elle ne fait aucune différence entre les personnes et qu'elle m'incite à aider les gens dans le besoin. Je me sens un peu différent des autres, et cela me fait assez plaisir. Chaque année, une fête rappelle que les sikhs sont attachés à leur religion, car, autrefois, des sikhs sont morts pour la défendre.

Gurkaran (Inde)

Bouclier Nihang

Longue épée

Des armes vraiment spéciales

J'ai vu un jour une longue épée comme celle-ci. Elle devait mesurer 3 m de long. Les hommes qui utilisent ces armes ne les entrechoquent pas, mais quand cela se produit, on entend des bruits assourdissants dans le stade.

Hola Mohalla date de 1680.

Gobing Singh, le dixième gourou, eut plusieurs raisons pour créer cette fête. Elle était destinée à montrer que le Khalsa était prêt à combattre pour défendre le droit des sikhs à pratiquer leur religion. La nouvelle cérémonie s'ajoutait à Holi (une fête hindouiste), au cours de laquelle se pratiquent des jeux.

Les combats sont vraiment spectaculaires !

J'ai vu des combats simulés.

Tout le monde aime voir les sikhs Nihang pratiquer leurs *gatkas* (combats simulés). *Nihang* est un mot persan signifiant « crocodile ». Les Nihang sont des soldats sikhs volontaires. Beaucoup ont des fusils, des épées ou des lances, et certains ont des arcs et des flèches. Ils portent de grands turbans décorés d'anneaux d'acier appelés *chakkars*.

Pendant la fête, des chevaux galopent dans le stade.
Certains chevaux portent des tambours, que leurs cavaliers battent très fort. Les spectateurs aiment beaucoup voir ces cavaliers debout sur deux chevaux au galop. Ils sont très agiles !

Amandeep

Royaume-Uni
On ne célèbre pas cette fête ici. Mais ma famille vient du Pendjab, où elle est connue comme la « fête des Nihang ». Ces braves guerriers ont défendu les coutumes sikhs au temps où leur religion était persécutée.

Il y a un « langar » chaque jour.
J'aide souvent au repas du *langar* en faisant cuire les *roti*, en servant les plats et en faisant la vaisselle. Cette fois, c'était notre premier Hola Mohalla, et nous étions seulement invités. J'ai mangé du *dal*, des *roti* et un dessert appelé *jalabee*.

Une fête très colorée
Les Nihang portent des pantalons courts bleu foncé et des ceintures orange. On jette aussi de la poudre colorée : les gens en sont couverts.

Le symbole

C'est l'étoile de David. Cette étoile à six branches a la forme du bouclier du roi David. Dans la Bible, David, un grand croyant, est un héros, car il tua le géant Goliath.

Le judaïsme

LES ADEPTES DU JUDAÏSME ne vénèrent qu'un dieu et se considèrent comme les fils d'Abraham, qui transmit le message de Dieu au peuple hébreu. Le livre sacré du judaïsme, la Torah, raconte comment Dieu promit de protéger les Hébreux s'ils faisaient vœu de l'aimer, de lui obéir et de suivre ses lois. Les plus importantes de celles-ci sont les dix commandements, transmis par Dieu à un chef nommé Moïse.

La *mezouzah*

Certains juifs placent une *mezouzah* sur la porte d'entrée de leur demeure. Ce petit étui contient une prière à Dieu (le *shema*) sur un rouleau de papier.

Le père de la foi

Abraham vivait, il y a plus de quatre mille ans, en Irak actuel. Le peuple adorait alors plusieurs dieux. Mais Abraham crut qu'il n'y avait qu'un seul Dieu, qui prendrait soin de son peuple si celui-ci obéissait à ses lois. C'est pourquoi les juifs disent qu'ils sont le « peuple élu » (choisi) de Dieu.

Le livre sacré

La Torah (la « Loi »), les cinq premiers livres de la Bible, raconte comment est né le judaïsme. Écrite sur un long rouleau, elle contient les règles de la religion et de la vie quotidienne des juifs.

Moïse et les dix commandements

Moïse

La Torah raconte l'histoire de Moïse, à qui Dieu donna sur le mont Sinaï deux tablettes de pierre sur lesquelles étaient gravés les dix commandements : les règles que le peuple doit suivre.

1 Je suis le seul Dieu. Tu n'en auras pas d'autre.
2 Tu ne dois pas adorer des idoles ou des images de Dieu.
3 Respecte le nom de Dieu.
4 Observe le shabbat (jour de repos).
5 Respecte ton père et ta mère.
6 Tu ne tueras pas.
7 Tu ne seras pas infidèle à ton mari ou à ta femme.
8 Tu ne voleras pas.
9 Tu ne diras pas de mensonges sur les autres.
10 Tu ne convoiteras pas ce que possèdent les autres.

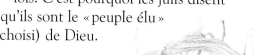

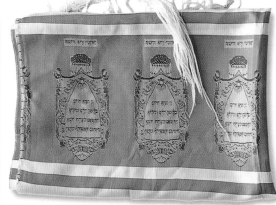

La prière à Dieu

Pour les juifs, la prière est essentielle. Beaucoup prient trois fois par jour. Certains portent un *talit* (châle de prière, ci-dessus) sur la tête quand ils prient ou lors des cérémonies.

La Diaspora

Kippas portées par les hommes

Bien que leur religion ait été fondée au Proche-Orient, les juifs ont été dispersés dans le monde : c'est ce que l'on nomme la Diaspora. Il y a deux groupes principaux ; les ashkénases en Europe – surtout en Europe centrale – et aux États-Unis, et les sépharades (Espagne, puis Afrique du Nord, Grèce, Turquie et Amérique du Sud). Il existe des différences dans les rituels et les traditions de ces groupes. Les orthodoxes qu'on rencontre le plus souvent, tête couverte et visage encadré de longues mèches, sont des ashkénases qui ont conservé nombre de traditions des pays où ils résidaient comme la Pologne.

Le culte juif

À Jérusalem, ces enfants prient devant le Mur des lamentations, le lieu le plus sacré du culte juif, seul vestige du Temple bâti par Hérode sur les ruines du Temple de Salomon. Les juifs font d'habitude leurs dévotions ensemble dans un lieu appelé synagogue. Chaque synagogue possède une copie de la Torah, qui est lue en entier, sur une période d'un an.

Rites de passage

Les enfants juifs ont affaire à la religion dès leur plus jeune âge. Les garçons sont circoncis huit jours après leur naissance (ci-dessous). Les filles reçoivent un nom et sont bénies. Les enfants deviennent membre de la synagogue à la cérémonie de la bar-mitsva (garçons) et bat-mitsva (filles).

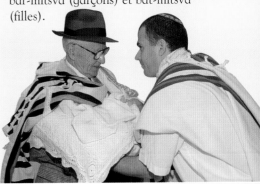

Où vivent les juifs

Amérique du Nord · Europe · Asie · Afrique · Amérique centrale et du Sud · Océanie

Le judaïsme est né en Palestine.

Continents : Amérique du Nord, Amérique centrale et du Sud, Europe, Asie, Afrique, Océanie

0 1 2 3 4 5 6 7 **Millions de juifs**

Les plus grandes populations juives vivent en Amérique du Nord (plus de six millions de juifs) et en Asie (plus de cinq millions, principalement en Israël).

Principales fêtes

Shabbat Jour de repos et de culte, du vendredi soir au samedi soir *Hebdomadaire*
Pourim Célèbre le courage de la reine Esther *Février-mars*
Pessah Commémore la délivrance des juifs en Égypte *Mars-avril*
Rosh ha-Shanah Nouvel an *Octobre*
Yom Kippour Jour de repentance *Octobre*
Hanoukka Fête des Lumières *Décembre*

Pessah (Pâque)

UNE FÊTE DE HUIT JOURS

MON NOM EST YAËL et j'ai presque 11 ans. J'ai deux frères et une sœur. Plus tard, je voudrais être actrice. Nous fréquentons la synagogue chaque samedi. J'aime réciter le *shema*, parce que je le connais bien. Pessah nous rappelle l'histoire des juifs : ils furent délivrés de l'esclavage par Moïse, qui les emmena hors d'Égypte.

Yaël (israël)

Le « seder » réunit toute la famille.

Salade

Œuf symbolisant les sacrifices bibliques

Légume vert représentant le printemps

Jarret d'agneau

Pâte de haroset

Herbes amères

Chaque aliment du plateau du « seder » est symbolique.
Le *seder* est le repas familial rituel de Pessah. Des plantes amères rappellent la dure vie des juifs en Égypte. Nous trempons de la salade dans de l'eau salée citronnée, ce qui évoque les larmes. Le *haroset* (mélange de dattes, pommes et amandes) symbolise le ciment utilisé pour construire les villes des pharaons. Nous mangeons de l'agneau, en souvenir de la peste divine qui épargna les maisons juives, marquées avec du sang d'agneau.

Il faut débarrasser la maison de tout le « hamets ».
Pour Pessah, on ne mange pas de *hamets* (pain ou aliments contenant de la levure). La veille du *seder,* mon père allume une bougie et nous le suivons pour ramasser les miettes, afin d'être sûrs d'avoir retiré tout le *hamets*.

La maison est complètement nettoyée.
Ôter toute trace de miettes de *hamets* est un gros travail. Je nettoie ma chambre, passe l'aspirateur sur le tapis et dépoussière mes jeux, mes livres et mes vêtements. Et j'aide à sortir notre vaisselle réservée au repas de Pessah.

Argentine

Pour Pessah, nous avons beaucoup d'aliments spéciaux et un grand repas familial appelé « seder ». J'aime manger des « matsot » (pains azymes) parce que c'est croustillant, mais je déteste les « herbes amères ».

Dan

Le plus jeune enfant chante les questions.

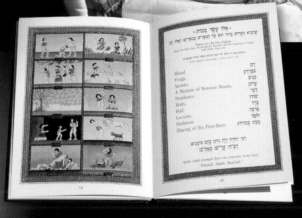

La Haggadah raconte comment Dieu aida les juifs à s'enfuir d'Égypte.

Un pain sans levain, appelé « matsah », rappelle la fuite des juifs d'Égypte.

Dans leur hâte, leur pain n'eut pas le temps de lever, raconte la Bible. Mon père cache un morceau de *matsah,* qu'il faudra trouver.

Matsot

Cartes de vœux pour Pessah

Nous envoyons des cartes aux parents et amis pour Pessah.

Le *seder* a lieu à la maison, mais on se rend aussi à la synagogue pour prier.

Au « seder », nous racontons la fuite de l'Égypte.

Cela s'appelle la Haggadah. Avec ma famille, nous écoutons à table les récits qui nous rappellent les épreuves du passé. Suivant la tradition, le plus jeune enfant pose des questions sur ce qui rend cette nuit différente de toutes les autres de l'année.

La fête de Pourim

Esther était une reine juive, qui risqua sa vie pour défendre son peuple contre le tyran Haman. À Pourim, les familles juives lisent le *Megillah* (le livre d'Esther) à la synagogue. On échange des cadeaux, on mange des friandises spéciales, les enfants se déguisent, et l'on organise des cortèges costumés. Quand le nom d'Haman est prononcé, les gens sifflent ou agitent des crécelles.

Crécelle

Hanoukka

LA FÊTE DES LUMIÈRES

MON NOM EST BENJAMIN et j'ai 9 ans. J'aime imaginer que je suis un aventurier qui doit échapper à ses ennemis. Ma religion me permet d'avoir une vie intérieure très riche. Je fréquente une synagogue traditionnelle, située dans un beau jardin de Paris. Chaque dimanche, j'y étudie la Torah, qui m'intéresse beaucoup. Hanoukka commémore un miracle, survenu il y a très longtemps.

Benjamin (France)

Lampe à huile romaine

La « hanoukkia », une « menora » particulière

Elle comporte huit branches, une pour chaque jour du miracle, plus une qui sert à supporter la bougie qui allume les autres, le *chamach*. Ma mère allume le *chamach*, puis avec mon frère, nous allumons les autres ensemble, une par jour, jusqu'à la fin de Hanoukka. Notre *hanoukkia* est depuis longtemps dans la famille.

Nous célébrons le miracle de l'huile.

Quand les juifs vainquirent un roi cruel, il y a environ deux mille ans, l'huile de la lampe du temple brûla huit jours au lieu d'un seul.

Australie

En Australie, il fait chaud pour Hanoukka. Les jours sont longs, et l'on attend jusqu'à 21 heures pour allumer la grande « hanoukkia » du jardin. Notre père nous bénit, nous chantons et mangeons des mets délicieux.

Romi

Afrique du Sud

Nous allumons tous une « hanoukkia » dans notre famille. Ma sœur et moi prenons des bougies faites à l'école. J'adore manger des beignets et des crêpes de pommes de terre frites.

Rachel

Le chandelier traditionnel juif, la *menora*, comporte toujours sept branches, celui pour Hanoukka en compte neuf.

Pièces en chocolat couvertes de papier doré

Le toton est appelé dreidel.

Le jeu du « dreidel »

Chaque face du *dreidel* (toton) porte l'initiale d'un des quatre mots en hébreu : *Ness Gadol Haya Sham* (« Il y eut là un grand miracle»). Des pièces en chocolat forment une cagnotte. Chacun fait tourner le *dreidel*. Si la toupie s'arrête sur Ness, le coup est nul. Sur Gadol, on prend toutes les pièces sauf une, et chacun en met une dans la cagnotte. Sur Haya, le joueur en prend la moitié, et sur Sham, il en prend une.

Mon âme est une sorte de petit fantôme en moi.

Quand un joueur a ramassé toutes les pièces, il a gagné !

Des cadeaux chaque matin

Cela se fait dès le réveil. L'an dernier, j'ai reçu des cartes de ma mère. On ne célèbre pas Hanoukka à l'école, qui est laïque, c'est-à-dire non religieuse. Nous faisons d'habitude des dessins avec nos amis juifs et nous échangeons de petits cadeaux. Je reçois aussi des cartes de vœux et des messages par e-mail. Les amis et la famille joignent des photos à leurs vœux.

Cadeau pour Hanoukka

Cartes de vœux

Beignets à la confiture

La cuisine est à l'huile.

C'est pour rappeler le miracle de la lampe à l'huile. J'adore les beignets de ma grand-mère, qui fait la cuisine. Mais si elle n'est pas là pour Hanoukka, ma mère la remplace. Je mets la table et je sors les livres de prière.

Des *latkes* (crêpes de pommes de terre frites à l'huile)

Simhat Torah

Simhat Torah est la fête où l'on recommence à lire la Torah depuis le début. On m'a toujours dit que la Torah était le livre de la vie. Avec ma famille, je vais à la synagogue pour prier. Pendant Simhat Torah, nous chantons et dansons autour du livre sacré.

Chacun est invité à porter la Torah. Elle est si lourde que les enfants en portent souvent des exemplaires réduits.

La bat-mitsva

LA MAJORITÉ RELIGIEUSE JUIVE

JE M'APPELLE ERIN et j'ai 13 ans. J'aime sortir avec mes amies ou les contacter par Internet. Ma nuit préférée est celle du vendredi. Les autres nuits sont peu animées dans ma famille, mais pour shabbat nous sommes tous réunis autour d'un bon repas. Nous allumons des bougies et appelons la bénédiction de Dieu. Ma foi m'aide à résoudre mes problèmes et à répondre à mes questions. J'ai fait ma bat-mitsva cette année, je vais enfin pouvoir être considérée comme une adulte.

Erin (États-Unis)

Classe de mitsva à Tel-Aviv, en Israël

La Torah s'étudie à l'école hébraïque.

La bat-mitsva introduit les filles dans la communauté des adultes. J'ai été aidée par une préparation religieuse. Avant ma bat-mitsva, j'ai discuté du passage de la Torah que j'allais lire avec le rabbin et j'ai reçu ses conseils.

Synagogue à Port Elizabeth, en Afrique du Sud

Je dois lire la Torah pendant la cérémonie.

Le rouleau est lourd, et j'avais peur de le laisser tomber. La Torah a été transmise par mes grands-parents à mes parents à mon intention. C'est une très belle tradition.

On me considère désormais adulte.

Cette jeune fille lit la Torah pendant sa bat-mitsva.

Ma famille et mes amis étaient tous là.

Quand je suis montée sur la *bimah,* la tribune, et que je les ai tous regardés, je me suis rappelée combien ils avaient été près de moi jusque-là. J'ai confectionné moi-même mon *talit* (châle de prière) et aidé à tout préparer.

Pour leur souhaiter une vie douce,
on offre des bonbons aux filles.

On s'envoie des cartes avec des messages d'affection.

Une fille gardera longtemps les cartes reçues pour l'occasion, car la bat-mitsva est une date importante dans sa vie.

Après la cérémonie, tous se réunissent en une même prière.

Cette prière, appelée kiddoush, est dite avant de rompre la *hallah* et de boire le vin. J'honore ma famille et mes maîtres en leur offrant une *aliyah* (bénédiction sur la Torah). C'est l'un des plus grands honneurs que peut recevoir un juif.

La *hallah* est un pain brioché en forme de tresse.

Coupe pour le kiddoush

Bar-mitsva

La bar-mitsva fait entrer le garçon dans le monde des adultes. Il peut alors assister aux cérémonies religieuses. Dans certaines synagogues, le service est le même pour la bat-mitsva. Les jeunes lisent un passage de la Torah et le commentent.

Naomi

irak

La bar-mitsva est un événement très particulier. J'irai la faire quand j'aurai 13 ans, en Israël, comme mon frère. Après la cérémonie, je lirai la Torah. Il est difficile d'apprendre à déchiffrer la Torah.

Ethan

Roumanie

Après la bat-mitsva, une fille juive est responsable de ses actes. Ensuite, j'espère que je ferai des efforts pour accomplir beaucoup de bonnes actions.

Nous nous sommes réunis dans un hôtel à Hollywood.

Des filles ont allumé des bougies pour honorer leurs familles et leurs amis. Nous avons eu une cérémonie de *Havdalah* pour la fin du shabbat. Ensuite, nous avons dansé la *hora*, une danse populaire juive traditionnelle. Quatre forts garçons (dont mon frère aîné de 15 ans!) m'ont élevée sur une chaise, au-dessus des danseurs.

Le mariage

UNE CÉRÉMONIE JUIVE DE MARIAGE

JE ME NOMME LIBBI et j'ai 9 ans. J'aime lire et cuisiner. Je fais des *latkes* (galettes de pommes de terre) pour Hanoukka et de la *hallah* (pain tressé) pour shabbat. Après mes études, j'aimerais bien diriger une ferme. Je vais tous les samedis matin à la synagogue avec ma famille. Je suis allée récemment au mariage de mes amis Mandy et Jason. Ce fut un événement très important et une heureuse occasion de revoir la famille et les amis.

Libbi (Royaume-Uni)

Ketoubah

Les devoirs du mari sont écrits sur la « ketoubah ».

C'est un contrat de mariage, signé par les fiancés avant le mariage. Ce document est très bien calligraphié. Je l'ai vu déposé sur une table.

Le service a lieu sous un baldaquin.

Cette pièce de tissu à quatre coins, généralement blanche, qui peut être ornée de fleurs, est appelée une *houppah* et symbolise la nouvelle demeure du couple. Mandy portait une belle robe. Elle a tourné sept fois autour de Jason, pour montrer qu'elle fondait un foyer avec lui.

Les époux échangent des anneaux.

Ils s'engagent tous deux par des promesses, et l'on récite des bénédictions. C'est un moment très important. Mandy ne portait aucun autre bijou.

Anneau de mariage juif italien

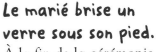

Parfois le couple est sous un « talit ».

Cela remplace la *houppah*. À la fin de la cérémonie, le rabbin bénit le nouveau marié et son épouse. Il remercie Dieu d'avoir créé la vie et souhaite au couple une longue et heureuse existence ensemble.

Talit *juif traditionnel (châle de prière)*

Le marié brise un verre sous son pied.

À la fin de la cérémonie, Jason a enveloppé un verre dans du tissu et l'a écrasé du pied. On a entendu un très fort craquement ! C'est une tradition rappelant que toute joie connaît aussi la tristesse. Après, on a tous crié «*Mazel tov !*» («Bonne chance»).

Tout le monde a crié « Mazel tov ! »

Le mariage est suivi d'une grande fête.

Les invités se joignent aux nouveaux mariés. Je portais une belle robe, comme celle que je mets chaque semaine pour shabbat. Mon père avait mis son habit de rabbin. Les femmes ont dansé entre elles et les garçons entre eux : c'est une tradition juive. Nous avons mangé beaucoup de chocolats !

Les mariés ont été soulevés au-dessus de nous.

Cela se passe pendant la danse en rond traditionnelle, appelée *hora*. Les mariés sont assis sur des chaises ou sur une planche, et sont soulevés au-dessus des têtes des danseurs. Ils sont alors le roi et la reine du jour.

Yémen

Avant le mariage, les juifs yéménites ont une fête appelée une « hinnah ». La mariée porte une coiffure couverte de pierres précieuses et des bagues aux doigts. Elle a des dessins au henné sur les mains.

Nadav

Le symbole

La croix rappelle aux chrétiens que Jésus est mort crucifié. Une croix nue est un symbole peut-être encore plus fort signifiant que Jésus est ressuscité trois jours après son supplice, pour montrer qu'il était le fils de Dieu, avant de retourner au ciel. Un autre symbole du christianisme primitif est le poisson.

Le christianisme

IL Y A DEUX MILLE ANS, en Palestine occupée par les Romains, un grand prédicateur nommé Jésus (ou «Christ», c'est-à-dire le «messie») a affirmé que la seule Loi était l'amour de Dieu et des autres. Il fut mis à mort, livré aux Romains qui le crucifièrent. Mais ses disciples l'ont revu vivant trois jours plus tard. Sa vie et ses enseignements sont la base du christianisme. Pour les chrétiens, il est le fils de Dieu.

Le fils de Dieu

Les chrétiens croient que Dieu a envoyé Jésus sur la Terre pour révéler l'amour de Dieu aux hommes. Et aussi que Dieu permit qu'il meure pour effacer les mauvaises actions (les péchés) des gens, et leur offrir une «nouvelle vie».

Healing a leper

Le livre sacré

La Bible chrétienne contient l'Ancien Testament (ou Ancienne «Alliance», à peu près identique au livre sacré des juifs) et le Nouveau Testament qui contient les quatre Évangiles, les Actes des Apôtres, des lettres des premiers apôtres (surtout Paul) et l'Apocalypse. On y trouve des récits sur Jésus et ses enseignements.

La Trinité

Les chrétiens croient en un seul Dieu, mais aussi qu'il peut être vu sous trois aspects : le Père (créateur de toute vie), le Fils (Jésus-Christ, venu sur la Terre) et le Saint-Esprit (le pouvoir invisible de Dieu dans le monde). Ces trois personnes réunies forment la Trinité. La Bible parle des trois «faces» de Dieu, bien qu'il demeure unique.

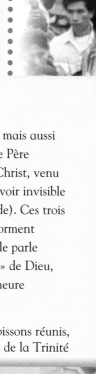

Trois poissons réunis, symbole de la Trinité

Le culte chrétien

Les chrétiens lisent la Bible et prient chez eux ou à l'église. Le dimanche (jour de la résurrection de Jésus), ils se réunissent dans des églises (catholiques) ou des temples (protestants) pour assister à la messe ou au culte. L'office comprend des lectures de la Bible, des chants et des prières. Le prêtre ou le pasteur fait un sermon invitant à suivre l'exemple du Christ.

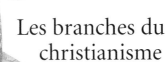

Habits d'un évêque orthodoxe

Les branches du christianisme

Au cours de la croissance du christianisme, les chrétiens eurent des opinions différentes au sujet des règles et des pratiques religieuses. De nouvelles églises se formèrent : catholique, orthodoxe, réformée, luthérienne, etc. Les coutumes ou les rites diffèrent, mais les croyances de base sont communes.

En suivant Jésus

Ces chrétiens d'Amérique centrale agitent des palmes en suivant une statue du Christ, le jour de Pâques. Pendant le temps de sa prédication (environ trois ans), Jésus fut suivi par des foules semblables, qui écoutaient ses paraboles (récits comportant un message) et voyaient ses miracles (événements étonnants et inexpliqués).

L'amour du prochain

Jésus enseigna l'amour et le respect de son prochain. Les chrétiens doivent suivre ces principes en faisant la charité ou en s'occupant activement des personnes dans le besoin. Cette religieuse, qui a consacré sa vie au service de Dieu, a fondé un orphelinat et un hôpital pour les enfants au Brésil.

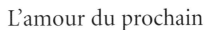

Rites de passage

Les enfants entrent dans la famille chrétienne par le baptême. L'enfant est plongé dans de l'eau qui a été bénie, ou en est aspergé. Les jeunes chrétiens célèbrent leur première communion, qui rappelle la Cène – le dernier repas que Jésus partagea avec ses disciples la veille de sa crucifixion.

Principales fêtes

Épiphanie Visite des Rois mages à Jésus *1er dimanche de janvier*
Mercredi des Cendres Entrée en carême *Février-mars*
Dimanche des Rameaux Entrée de Jésus à Jérusalem *Mars-avril*
Pâques Résurrection du Christ *Mars-avril*
Ascension Retour de Jésus auprès du Père *Mai*
Pentecôte Envoi du Saint-Esprit *Juin*
Assomption Fête de Marie *15 août*
Nativité Naissance de Jésus Noël *25 décembre*

Où vivent les chrétiens

Amérique du Nord
Europe
Asie
Afrique
Amérique centrale et du Sud
Océanie

Le christianisme est né en Palestine.

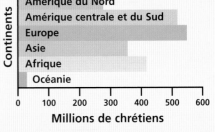

Continents	Millions de chrétiens
Amérique du Nord	
Amérique centrale et du Sud	
Europe	
Asie	
Afrique	
Océanie	

0 100 200 300 400 500 600
Millions de chrétiens

Les chrétiens vivent dans le monde entier. Près de deux milliards de personnes appartiennent aux principales branches du christianisme (plusieurs douzaines). Le groupe principal est celui des catholiques (environ un milliard de personnes).

La première communion

LE RAPPEL DU DERNIER REPAS DE JÉSUS

MON NOM EST ANTONINO et j'ai 10 ans. J'aime le football parce que c'est un sport d'équipe et qu'on peut jouer avec ses copains. Je fréquente une église catholique située sur la place du village. Ce qui m'intéresse dans ma foi, c'est que Jésus nous demande de nous aimer les uns les autres. Cette année, j'ai fait ma première communion.

Le calice contient le vin.

Antonino (Italie)

La Cène

Jésus prit son dernier repas avec les apôtres, la veille de sa mort. Il leur offrit du pain et dit qu'il était son corps, et du vin, qui était son sang. La communion est importante, car c'est un moyen de rencontrer Jésus.

Hosties, pain azyme

Un mois avant la communion, ma première confession

Toute ma classe de catéchisme est allée à l'église. Je me suis assis devant le prêtre et je lui ai confessé mes péchés. J'étais ému, car il me semblait être devant Jésus.

La préparation à la communion

J'ai suivi le catéchisme pendant trois ans, une heure par semaine. J'ai aussi appris beaucoup de choses sur Jésus. Pour ma première communion, j'ai revêtu un habit blanc – une aube. J'étais heureux de recevoir la communion pour la première fois.

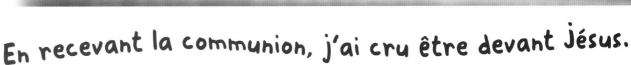

Avant la messe, le prêtre nous a réunis à part.

Nous étions tous inquiets, mais le prêtre nous a rassurés. Lorsque nous sommes revenus dans l'église, il a dit une prière pour nous. Il nous a souhaité d'être bons, purs, prêts à aider notre prochain, comme l'a fait Jésus. Quand est venu mon tour de recevoir la communion, j'étais tendu mais heureux en même temps.

Un chapelet, précieux cadeau de première communion

En recevant la communion, j'ai cru être devant Jésus.

Après la cérémonie, il m'a semblé avoir grandi.

C'était sans doute parce que j'étais bouleversé. Après la messe, les communiants ont échangé des souhaits. Ensuite, je suis allé au restaurant avec ma famille et des amis. Mon grand-père m'a fait cadeau d'un ordinateur.

Les missels de première communion ont souvent une couverture blanche.

Plus tard, je serai confirmé.

Ce sacrement est un engagement pour confirmer ma foi en Jésus. Je me prépare déjà à ma confirmation, car ce sera à moi de décider quand je serai prêt à recevoir l'Esprit-Saint et à dire que je crois véritablement en Dieu.

Dans certains pays, on se place sous le patronage d'un saint (ici, saint François), lors de la confirmation.

Hector

Jola

Pologne
Je m'inquiétais un peu avant la cérémonie de ma première communion, mais tout s'est bien passé. Quand j'ai pris l'hostie, j'étais très troublée. Je me suis senti renouvelée et purifiée. Je ne l'oublierai jamais.

Espagne
À ma première communion, nous étions tous devant l'autel avec la liste de nos péchés. Nous avons brûlé ces listes, pour les effacer et nous purifier.

Janine

Allemagne
Pour ma première communion, je portais une longue robe blanche. Je n'étais pas nerveuse, mais émue. Nous avons eu des leçons en groupe pour nous préparer. En plus de la prière et de la réflexion, on jouait, chantait, peignait et bavardait ensemble.

Noël

LA NAISSANCE DE JÉSUS

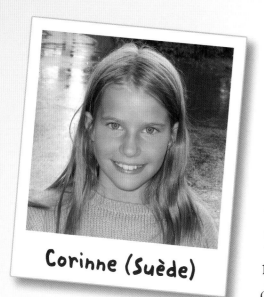

Corinne (Suède)

J'AI 11 ANS et je m'appelle Corinne. Mon passe-temps favori est l'équitation. Je joue aussi du violoncelle. Avec ma famille, je fréquente une église baptiste. Les cantiques sont pour moi le meilleur moment de l'office. Ma religion me donne le sentiment rassurant d'être aimée et de ne jamais être seule. Noël est ma fête préférée, mais pas pour les cadeaux. C'est parce que Jésus-Christ, notre sauveur, est né, il y a deux mille ans.

Avent signifie « arrivée ».
Noël est précédé des quatre dimanches de l'Avent. On place une étoile et des bougies sur le rebord de la fenêtre. Il y a quatre bougies sur notre table et chaque dimanche, on en allume une.

La Sainte-Lucie se célèbre en Suède, le 13 décembre.
Dans mon école, des élèves plus âgés nous rendent visite et chantent des chansons. Les filles sont vêtues de blanc, portent des couronnes et des cierges. Celle qui représente Lucie a une couronne de bougies allumées sur la tête et une ceinture rouge à la taille.

Les crèches vivantes
Ces scènes représentent la Nativité, c'est-à-dire la naissance de Jésus dans une étable de Bethléem. Tous les ans, à l'église, les enfants tiennent les différents rôles. Une année, j'ai joué le rôle d'un ange qui dansait. Cela m'a rendue très heureuse.

Lois

Allemagne
Noël se prépare pendant l'Avent. La veille de Noël, ma famille et moi, nous nous sentons joyeux. Nous chantons des cantiques et nous nous rendons le soir à l'église.

Jan

Royaume-Uni
Noël est une fête merveilleuse. Mais il est bon aussi de penser aux enfants qui, partout dans le monde, sont moins heureux que moi en ce moment.

La musique d'un chant de Noël

Certains vont tôt à l'église.
Ils vont assister à un office avant le lever
du soleil. Nous sommes heureux de
l'annonce de la venue de Jésus.
Les fidèles partagent leur joie
en chantant des cantiques.
Ce jour-là, je lis parfois les
Évangiles avec mes parents.

**À Noël, nous faisons
un repas de fête.**
J'aide à faire la cuisine.
Nous préparons
beaucoup de plats.
On ouvre les
cadeaux à 4 heures
de l'après-midi.

je fais du pain d'épice avec mon frère.

**L'Épiphanie est douze
jours après Noël.**
Ce jour-là, les Rois mages
ont apporté des cadeaux
à Jésus, une étoile leur
indiquant le chemin.
Nous célébrons
cet événement par
une messe.

Les Rois mages rendirent
hommage à Jésus en lui
offrant de l'or, de la
myrrhe et de l'encens.

Monica

Singapour
Le jour de Noël, toute
notre famille se réunit.
On se rend à l'église où on
joue une pièce de Noël,
qui est très intéressante.
J'aime l'ambiance quand
les gens chantent des
cantiques et échangent
des vœux.

Pâques

LE CHRIST EST RESSUSCITÉ

JE M'APPELLE EVA et j'ai 13 ans.
Je fréquente une église orthodoxe
grecque. J'aime voir les fidèles
se réunir autour du pope pour
la communion. Ma religion me dit
qu'il n'y a qu'un Dieu, qui prend
soin de moi. Pour cela, il a envoyé
son fils Jésus sur la Terre.

Pâques rappelle la mort de Jésus et
sa résurrection trois jours plus tard.

Eva (Grèce)

Olives,
féta et
huile d'olive

Le carême dure quarante jours.
Il rappelle le séjour de Jésus dans
le désert, seul et affamé, pour se
préparer à délivrer son message.
Nous devons faire aussi un sacrifice.
Ma famille et moi ne mangeons
pas de produits laitiers ou de viande
jusqu'au dimanche de Pâques.

Petites
croix de
palmes

**Après la messe du dimanche des
Rameaux, on s'offre des rameaux bénis.**
C'est pour se souvenir que Jésus est entré
à Jérusalem le dimanche avant Pâques et que
l'on a jeté sous ses pas des palmes pour l'honorer.

À minuit, le pope annonce la résurrection du Christ.

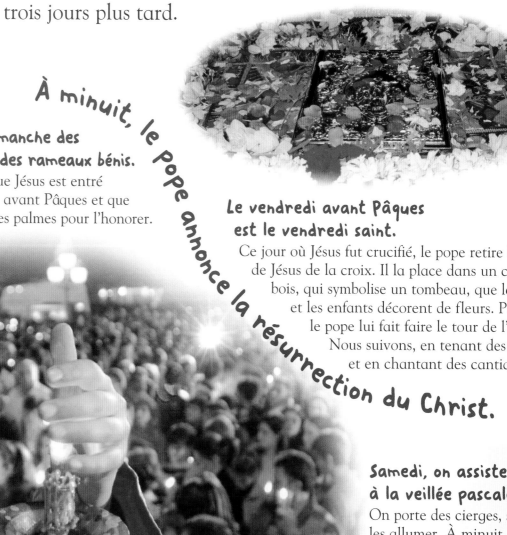

**Le vendredi avant Pâques
est le vendredi saint.**
Ce jour où Jésus fut crucifié, le pope retire la statue
de Jésus de la croix. Il la place dans un coffret en
bois, qui symbolise un tombeau, que les femmes
et les enfants décorent de fleurs. Puis
le pope lui fait faire le tour de l'église.
Nous suivons, en tenant des cierges
et en chantant des cantiques.

**Samedi, on assiste
à la veillée pascale.**
On porte des cierges, sans
les allumer. À minuit, le pope
annonce la résurrection du
Christ, et l'on allume alors
les cierges. Les enfants
lancent des pétards. Et l'on
rentre à la maison avec
nos cierges encore allumés.

Mon mets préféré pour Pâques
est une brioche appelée « tsoureki ».
Elle est faite de farine, de sucre et de lait et décorée
avec des œufs rouges. La fête de Pâques se
passe chez ma grand-mère. On rôtit
un agneau entier sur un feu
en plein air. Sa préparation
commence à 6 heures
du matin.

*Brioche tressée
grecque que l'on
mange à Pâques.*

Œuf dur rouge

*L'œuf cassé, symbole
de vie nouvelle*

Le dimanche de Pâques,
nous cassons des œufs rouges.

Je casse mon œuf contre quelqu'un et
en tenant mon œuf, je dis : « Jésus est
ressuscité ». La personne me répond :
« Il est vraiment ressuscité ».
En Grèce, on colore
les œufs durs
pendant
la semaine
sainte. Le rouge
symbolise
le sang du Christ.

Des popes (prêtres
orthodoxes)
portent des
icônes, peintures
religieuses
sur bois.

Danilo

Croatie
Pour les Rameaux, pendant
la messe, nous faisons des
couronnes avec de l'herbe
qui a été répandue sur le sol
de l'église.

Shirli

Albanie
J'aime beaucoup Pâques.
Et aussi les œufs rouges.
Ma grand-mère m'a
dit qu'ils symbolisent
la vie. Avec mes cousins,
nous jouons à casser
des œufs rouges. J'aime
beaucoup aussi les chants
de Pâques.

Une procession de popes après
la messe du lundi de Pâques.
Ils portent les bannières de l'église,
des cierges, des croix et des icônes
du Christ. Ils marchent en procession,
suivis par un grand nombre de
fidèles. La semaine suivant Pâques
est vraiment sainte. Le lundi est un jour
férié en Grèce, comme en France.

L'office du dimanche

JOUR DE LOUANGES DANS UNE ÉGLISE PROTESTANTE

MON NOM EST HANNAH. J'ai 8 ans, un frère et une sœur. Ma religion me rend heureuse et ma fête préférée est Noël. Dans ma famille, on échange des cadeaux, tout le monde est content et nous faisons un bon repas. Chaque semaine, nous allons au temple pour prier. Ensuite, il y a l'école du dimanche, où j'étudie la Bible. J'aime bien le sermon, parce que le pasteur nous dit de belles choses. Nous l'écoutons et cherchons à être bons, comme notre religion nous demande de l'être chaque jour.

Hannah (Ghana)

Le dimanche est un jour particulier, car j'étudie la Bible.

On loue Dieu en chantant.

Les gens jouent du piano, de la guitare, du tambour et de la basse. On commence par des prières, puis on chante, on danse et l'on remercie Dieu dans un joyeux tintamarre.

Le baptême ouvre la voie à l'Esprit-Saint.

Dans les églises pentecôtistes, on est baptisé en étant plongé dans l'eau. C'est là un signe extérieur, mais l'important est ce qui se passe à l'intérieur de nous. Nous croyons que lorsque le Saint-Esprit entre en nous, on peut guérir les autres, « parler en langues » ou prédire l'avenir.

Souvent, nous dansons et chantons pour exprimer notre joie.

J'étudie la Bible à l'école du dimanche.

Mon passage préféré est la naissance de Jésus dans une étable. Le dimanche, nous avons des cours sur la Bible. J'aime l'étudier, car elle m'apprend ce que l'amour de Jésus fait pour moi.

Maman et Papa « parlent en langues » quand ils prient.

Quelquefois, le Saint-Esprit emplit les fidèles de joie et les fait parfois parler un langage étrange. On appelle cela le « parler en langues ». La première fois que j'ai entendu cela, j'ai trouvé ça bizarre ! Ce n'est aucune langue connue !

Les disciples de Jésus ont reçu du Saint-Esprit la capacité de s'exprimer dans toutes les langues du monde.

Certaines églises sont grandes, avec une entrée séparée pour l'école du dimanche.

Les gens portent de beaux vêtements.

Certains ont des habits très coûteux. L'office dure une heure et demie. Après les prières et les chants, on écoute des sermons. Ensuite, on prie et l'on honore Dieu avec de la musique. Après, je joue avec mon frère et ma sœur, et mes amis.

La prière me réconforte.

Parfois, une personne qui prie pour toi met ses mains sur ta tête. C'est l'imposition des mains. Lorsqu'on fait cela pour moi, je suis heureuse.

Jamaïque

J'aime chanter et danser. Il me plaît d'aller à l'école du dimanche pour étudier la religion. J'aime beaucoup être avec les autres et chanter les cantiques, parce que j'aime Dieu.

Shanté

Le symbole

L'islam est symbolisé par le croissant de lune et l'étoile, que l'on voit sur quelques mosquées et la plupart des drapeaux des pays islamiques.

Le croissant n'a pas de signification religieuse, mais il peut avoir été choisi parce que le calendrier islamique est basé sur les phases de la Lune : il y a douze mois de vingt-neuf ou trente jours (trois cent cinquante-quatre jours). La nouvelle lune marque le début de chaque mois.

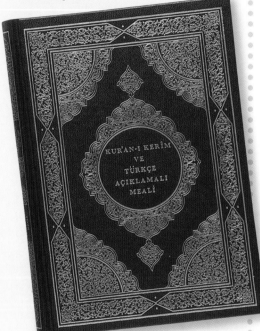

Le livre sacré

Le prophète Mahomet a mémorisé les mots de Dieu et les a appris à ses compagnons qui les consignèrent dans un livre, le Coran. Il contient des descriptions de Dieu et de ses pouvoirs, et des règles de vie pour les musulmans. Beaucoup apprennent l'arabe afin de pouvoir le lire et le réciter dans sa langue originelle.

La flèche sur ce compas (appelé qibla) indique la direction de La Mecque, vers laquelle les musulmans doivent se tourner pour prier.

L'islam

CINQ FOIS PAR JOUR, dans le monde entier, les fidèles de l'islam arrêtent ce qu'ils sont en train de faire et prient. Ils montrent ainsi leur foi en Dieu, appelé le plus souvent par son nom arabe, Allah. Aujourd'hui, il y a plus d'un milliard de fidèles de l'islam à travers le monde. Le mot *islam* signifie « soumission à Dieu », et ses fidèles, les musulmans, doivent obéir à sa volonté. Le livre sacré, le Coran, contient la parole d'Allah, apportée par l'ange Gabriel au fondateur de l'islam, le prophète Mahomet.

Cette famille lit le Coran. Les enfants apprennent la plupart des principes de leur religion chez eux.

Le fondateur

La croyance des musulmans est que Mahomet a été choisi pour entendre la parole de Dieu et l'enseigner. Il est né à La Mecque (aujourd'hui en Arabie saoudite) en 570, et enseigna qu'il n'y a qu'un Dieu qui a créé le monde et contrôle chaque chose dans le monde.

Le culte des musulmans

Les musulmans honorent Dieu en récitant le Coran et en priant cinq fois par jour à certaines heures, en arabe, mais cela peut être aussi en d'autres langues. Les musulmans prient chez eux ou avec d'autres musulmans dans une mosquée. Avant d'entrer dans la mosquée, ils ôtent leurs chaussures et se lavent le visage, les bras et les pieds. Le vendredi est le jour saint musulman. Chaque fidèle se rend à la mosquée.

La parole écrite

Puisque le Coran est la parole de Dieu, il doit être écrit avec grand soin. Pour cela, il existe un très beau style d'écriture, la calligraphie. Les calligraphes arabes emploient des pinceaux et des encres de couleur, et leur écriture peut être aussi spéciale que les mots du Coran eux-mêmes.

Les lieux de pèlerinage

La Mecque, où est né Mahomet, est le lieu le plus sacré sur terre pour la majorité des musulmans, appelés sunnites. Ils doivent s'y rendre en pèlerinage au moins une fois dans leur vie.

L'autre communauté principale (10 % des musulmans) est celle des chiites. Parmi ces derniers, beaucoup considèrent Karbala, en Irak, comme leur principal lieu de pèlerinage.

Les « cinq piliers » de l'islam

Les musulmans doivent accomplir cinq devoirs fondamentaux, appelés les « cinq piliers » de l'islam, à la base de leur religion : la profession de foi (chahada), la prière cinq fois par jour (salat), l'aumône aux pauvres (zakat), le jeûne pendant le Ramadan et le pèlerinage à La Mecque (hadj).

Tapis pour prier à genoux

Des milliers de chiites se rendent à Karbala, leur ville sainte, en pèlerinage à la mosquée de l'imam Hussein.

Rites de passage

Les premiers sons que perçoit le nouveau-né musulman est l'appel à la prière (adhan) que murmure son père dans son oreille droite. À sept jours, il reçoit un nom (cérémonie dite aqiqah.) On lui coupe les cheveux et l'on fait l'aumône aux nécessiteux. Plus tard, on lui enseigne l'islam, chez lui et à la mosquée.

Principales fêtes

Jour de l'hégire Nouvel an (1er mois du calendrier islamique)
Mawlid an-Nabi Anniversaire de la naissance du prophète (3e mois)
Laylat al-Qadr La nuit du Destin (3e mois et 27e jour du Ramadan)
Le Ramadan Mois du Coran et du jeûne (9e mois)
Aïd-el-Fitr Célèbre la fin du Ramadan (10e mois)
Aïd-el-Kébir Fête du Sacrifice (12e mois)

Où vivent les musulmans

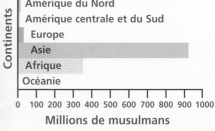

Amérique du Nord

Europe

Asie

Afrique

Amérique centrale et du Sud

Océanie

L'islam est né en Arabie saoudite.

Continents	Millions de musulmans
Amérique du Nord	
Amérique centrale et du Sud	
Europe	
Asie	
Afrique	
Océanie	

0 100 200 300 400 500 600 700 800 900 1000
Millions de musulmans

Environ un tiers de tous les musulmans vit en Afrique du Nord et au Moyen-Orient, mais la majorité se trouve en Asie centrale et du Sud. Des populations moins nombreuses vivent à l'Ouest.

Les « cinq piliers » de l'islam

LES CINQ OBLIGATIONS DU MUSULMAN

J'affirme ma foi.
Quand j'entends l'appel du muezzin à la prière, je dis : « Il n'y a de Dieu qu'Allah et Mahomet est son prophète ». C'est le premier pilier, par lequel je montre ma foi.

JE ME NOMME RACHID et j'ai 9 ans. Mes passe-temps préférés sont jouer au football et écouter de la musique. Un jour j'espère me rendre à Marrakech. L'islam est la religion que j'ai reçue. Elle m'apprend à être bon envers les autres et à rester dans le droit chemin. J'habite près de la mosquée. J'y vais souvent dans la semaine, et toujours le vendredi, le jour sacré. Les « cinq piliers » sont importants, car ils disent comment tous les musulmans doivent manifester leur respect pour Allah.

Rachid (Maroc)

1 Je me tourne vers La Mecque au lever du soleil. Je dis alors : « Allah Akbar » (Allah est le plus grand).

2 Je courbe la tête, pour marquer mon respect envers Allah. L'imam prononce un verset du Coran. Mais si je suis seul à la maison, je le dis moi-même.

3 Ensuite, je place mon front sur le tapis de prière, en me prosternant profondément. Cela montre l'humilité des musulmans devant Allah.

4 Je m'agenouille ensuite sur le tapis pour prier Allah en silence. Je termine par une prière pour la communauté.

5 Enfin, je tourne la tête de gauche à droite, en souhaitant la paix d'Allah au monde entier.

Je suis plus concentré lorsque je prie à la mosquée.

Le deuxième pilier dit de prier cinq fois par jour. L'appel à la prière vient toujours des haut-parleurs, sur le minaret de la mosquée, et chacun peut entendre l'appel du muezzin. Avant de prier, à la maison ou à la mosquée, je procède à mes ablutions en me lavant la figure, les bras et les pieds. Puis je me tourne vers La Mecque pour prier. À la maison, j'ai mon propre tapis de prière en laine.

Aider les pauvres est un devoir.

La mosquée est une communauté et, malheureusement, il y a toujours des gens dans le besoin. Payer la *zakat*, c'est donner de l'argent pour les autres. C'est le troisième pilier de l'islam. Si l'on n'a pas beaucoup d'argent, la *zakat* ne sera pas importante, mais on peut alors rendre visite aux malades ou aux pauvres.

À la mosquée, les aumônes sont placées dans une boîte.

Les « cinq piliers » témoignent du respect envers Allah et les hommes.

Turquie
À Istanbul, où je vis, les enfants ne vont pas habituellement à la mosquée. Ils reçoivent leur instruction religieuse de leurs parents ou grands-parents. Lorsque nous sommes plus grands, nous prions plus pour nous rapprocher d'Allah.

Cemi

Nous jeûnons comme Mahomet l'a fait.

Mahomet jeûnait quand l'ange Gabriel lui apporta la parole d'Allah. Aussi, pendant le mois de Ramadan, les musulmans jeûnent de l'aube au crépuscule. Après les prières, au coucher du soleil nous mangeons une soupe et du pain. Le quatrième pilier nous rend attentifs aux besoins des autres.

Khulud

Chacun doit faire le pèlerinage à La Mecque.

Tout musulman doit s'y rendre au moins une fois dans sa vie, c'est le *hadj* (pèlerinage). C'est le cinquième pilier. Ceux qui vont à La Mecque sont tous vêtus de la même façon, et sont ainsi égaux. À la Grande Mosquée de La Mecque, ils font sept fois le tour de la Kaba. Le *hadj* se termine par une fête.

Allemagne
Le vendredi, je vais toujours prier à la mosquée. Il y a beaucoup de monde, et les hommes se tiennent séparés des femmes. L'appel à la prière est très fort pour être entendu de tous.

La Kaba est un édifice cubique recouvert d'un voile noir où est scellée la pierre noire donnée à Abraham par l'ange Gabriel.

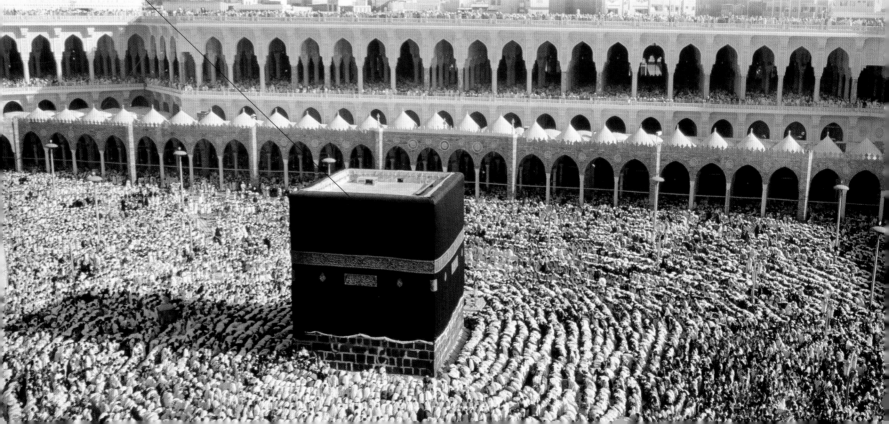

Le Ramadan et l'Aïd-el-Fitr

UN MOIS DE JEÛNE SUIVI D'UNE FÊTE

MON NOM EST LEENA et j'ai 9 ans. J'ai deux sœurs plus âgées que moi. J'aime dessiner et jouer au basket-ball. Plus tard, je voudrais devenir vétérinaire, car j'aime les animaux. Le Ramadan a été spécial pour moi, cette année : j'ai jeûné tout le mois pour la première fois avec ma famille. Nous avons fêté l'Aïd-el-Fitr tous ensemble. C'est l'un des jours les plus particuliers de l'année.

Leena (Jordanie)

Eau

Dattes

Pendant le Ramadan, je ne manque pas l'école.

Le jeûne est l'un des actes les plus importants du culte d'Allah. Les musulmans ne mangent ni ne boivent, de l'aube au crépuscule. C'est un peu difficile d'étudier pendant le jeûne, mais les professeurs sont compréhensifs et ne nous donnent pas trop de travail à la maison. Nous avons collecté de l'argent pour acheter des vêtements ou des aliments aux familles pauvres.

Nous mangeons avant l'aube.

Le jeûne commence avec l'appel à la prière de l'aube. Je n'ai pas été fatiguée ni affamée, sauf les deux derniers jours. Chez moi, on rompt le jeûne au coucher du soleil avec des dattes et de l'eau.

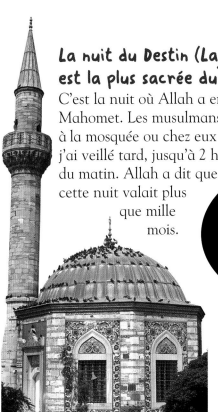

La nuit du Destin (Laylat al-Qadr) est la plus sacrée du Ramadan.

C'est la nuit où Allah a envoyé le Coran à Mahomet. Les musulmans passent toute la nuit à la mosquée ou chez eux en prières. Moi aussi j'ai veillé tard, jusqu'à 2 heures du matin. Allah a dit que cette nuit valait plus que mille mois.

Un nouveau mois commence avec la lune.

Nous attendons que la nouvelle lune annonce que le Ramadan est terminé et que la fête de l'Aïd commence.

Il est important de faire l'aumône.

Pour le Ramadan et l'Aïd, il faut être plus charitable. Nos mères cuisinent des mets que nous apportons aux enfants des orphelinats. Nous collectons aussi des couvertures, des vêtements et nous donnons de l'argent à la mosquée.

Coffre à aumône

Nous pensons à Allah et nous ressentons bien davantage sa présence.

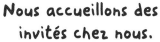

Des cartes pour l'Aïd

On envoie des cartes aux parents et aux amis qui sont trop loin pour nous rendre visite pour la fête. La nuit de l'Aïd, nous leur téléphonons toujours pour leur souhaiter une bonne fête.

Nous accueillons des invités chez nous.

Mes sœurs et moi portons nos beaux habits en leur honneur. Nous leur offrons un bon café, des chocolats et autres douceurs.

Pour l'Aïd, nous faisons un déjeuner en famille.

Ma mère prépare du poulet farci, du riz avec de la viande hachée, des carottes et des petits pois, et aussi des amandes grillées, du raisin et des pignons de pin. Pendant le repas, j'ai eu l'impression que le jeûne n'était pas fini. Mais, bien vite, j'ai réalisé que le Ramadan était terminé !

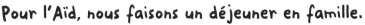

Afghanistan

Lors du Ramadan, les musulmans jeûnent pour rappeler que nous sommes tous égaux. Les pauvres manquent de nourriture, aussi nous jeûnons pour comprendre ce que signifie ne pas manger à sa faim.

Omar

Royaume-Uni

La fête de l'Aïd-el-Fitr marque la fin du Ramadan. Nous rendons visite à nos familles et allons à des réjouissances. Mes parents m'emmènent visiter l'Aquarium, ce que j'aime beaucoup.

Yasmin

Vivre selon le Coran

LES RÈGLES D'ALLAH POUR NOTRE VIE

JE M'APPÈLE INÈS. Je n'ai ni frère ni sœur, mais une amie et environ trente cousins. J'aime aller en vacances avec ma famille. Parfois, nous allons voir des parents en Algérie ou au Maroc, mais je suis allée aussi au Kenya, au Mexique et à New York. Il y a une mosquée près de chez moi et nous avons plusieurs corans à la maison. Le livre sacré contient les volontés d'Allah pour notre mode de vie. Les musulmans doivent vivre selon ces règles.

Inès (France)

Le Coran est la parole d'Allah.
Nous traitons le Coran avec respect. À la mosquée, il est placé sur un support. Le texte se lit de droite à gauche. Si l'écriture est particulière, ce sont quand même les paroles d'Allah.

Le Coran est parfois écrit en très beaux caractères.
On peut voir cette écriture arabe spéciale sur les tapis de prière, les maisons, certaines copies du Coran. C'est de la calligraphie. Où qu'ils soient dans le monde, les musulmans lisent le Coran en arabe.

Recopier le Coran est un acte de dévotion.

Soshi

Bangladesh
Pour l'Aïd-el-Fitr (ou Aïd-el-Séghir), on se lève tôt pour prier. Nous mangeons bien (curry et tikka de poulet). J'aime cette fête, car tout le monde est très joyeux.

Afghanistan
Le Coran donne des règles de vie. Ainsi, les enfants doivent obéir à leurs parents. Il ne faut manger que de la viande « halal » (tué selon des rites précis). Plus tard, j'apprendrai à parler et à écrire l'arabe.

Andaleep

Je respecte les personnes âgées.

Le Coran me dit de le faire. Je suis heureuse que mes grands-parents soient en vie. Nous allons les voir cinq ou six fois par an. Il faut respecter les personnes âgées, car elles ont vécu longtemps et savent beaucoup de choses. J'aime les entendre parler du temps de leur jeunesse.

Pour sortir, les musulmans s'habillent avec modestie.

Le Coran nous dit de nous habiller d'une certaine manière. Ainsi, beaucoup de filles portent un foulard sur la tête. À partir de 12 ans, elles doivent recouvrir la plus grande partie de leur corps, à part le visage et les mains. Les garçons doivent porter une coiffure sur la tête.

Ces filles portent toutes un foulard.

Les bras et les jambes doivent être couverts.

J'apprends à lire l'arabe.

Certains enfants vont à l'école coranique *(madrasa)* dans la mosquée. Mais moi je vais à l'école coranique de mon quartier, trois heures chaque samedi, pour apprendre le Coran par cœur. On honore Allah en apprenant sa parole. Mahomet a mémorisé les mots d'Allah quand l'ange Gabriel lui a parlé.

Un jour, j'essaierai d'apprendre les Paroles du Coran par cœur.

Certains aliments sont interdits.

Le Coran nous indique les aliments autorisés. Les musulmans ne doivent pas consommer d'alcool, manger de porc ni absorber de sang. Les bouchers musulmans tuent les animaux d'une certaine façon, qui permet de leur enlever tout leur sang. Lorsque nous achetons de la viande, nous allons chez un boucher *halal*.

Le « hadj » et l'Aïd-el-Kébir

PÈLERINAGE ET FÊTE DU SACRIFICE (LA GRANDE FÊTE)

Mohammed (Dubayy)

MON NOM EST MOHAMMED et j'ai 13 ans. Ma religion m'apaise et me donne confiance en moi. Je vais à la mosquée chaque jour. Les prières du vendredi sont particulièrement importantes, et tous les hommes doivent fréquenter la mosquée. Mon père, mon frère et moi n'y manquons jamais. Ma place préférée est aux premiers rangs devant, car les yeux d'Allah se porteront sur ceux qui y sont placés. Pour honorer Allah, les musulmans doivent aller en pèlerinage à La Mecque, c'est le *hadj,* un des « cinq piliers » de l'islam. L'Aïd-el-Kébir est la fête qui marque la fin de ce pèlerinage.

Le « hadj » est le pèlerinage des musulmans à La Mecque.
La Kaba est la « maison sacrée de Dieu », dans l'enceinte de la Grande Mosquée. Elle est recouverte d'un voile noir et décorée de versets du Coran, inscrits en lettres d'or. Dans un angle de la Kaba est scellée la Pierre noire tombée du ciel.

Le « hadj » est un devoir.
Les musulmans ayant les moyens de faire le voyage et étant en bonne santé doivent aller à La Mecque au moins une fois dans leur vie. En général, les enfants n'y vont pas, mais apprennent l'importance du pèlerinage en le simulant dans leur propre mosquée.

Un voile noir recouvre une reconstitution de la Kaba.

Des enfants vêtus en pèlerins font sept fois le tour de cette Kaba.

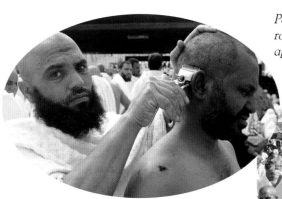

Pèlerins en robes blanches appelées ihram

L'épaule gauche doit être couverte.

Les musulmans campent près des lieux saints.

Le *hadj* dure sept jours ; ainsi, les pèlerins peuvent visiter tous les lieux saints. Ils marchent sept fois entre deux petites collines, près de la Kaba. Le deuxième jour, ils se rendent en un lieu nommé Arafat et prient jusqu'au couchant. Ils jettent des cailloux sur des piliers de pierre représentant le Diable.

Rituels des pèlerins

Ils revêtent de simples robes blanches, se lavent et font leurs dévotions à Allah, en faisant sept fois le tour de la Kaba. Les femmes raccourcissent leurs cheveux, les hommes les coupent très courts ou se rasent la tête. Mon père et mon oncle sont revenus le crâne rasé.

Chacun boit de l'eau sacrée.

Le pèlerin se rend au puits sacré de Zamzam pour boire son eau. Avant de boire, il fait un vœu. Si Allah le veut, ce souhait se réalisera.

Bouteille d'eau de Zamzam

Le « hadj » exprime notre croyance en un seul Dieu.

Maamoul (petits-fours fourrés à la pistache ou aux dattes)

L'Aïd-el-Kébir célèbre la fin du « hadj ».

À la fin du pèlerinage, on sacrifie un mouton ou une chèvre à Dieu. C'est pour cela que l'Aïd-el-Kébir est la « fête du sacrifice », que nous célébrons même si nous n'avons pas fait le pèlerinage. Nous revêtons nos beaux habits et toute la famille se réunit pour partager un repas. Les enfants reçoivent un peu d'argent pour rendre ce jour encore plus spécial. Ça me fait plaisir !

Boulettes de yaourt séché

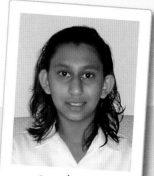

Shabnam

Turquie
Le « hadj », c'est visiter la Kaba, la maison de Dieu dans la cité sainte de La Mecque. Cela renforce notre unité, l'égalité et la fraternité. J'espère aller là-bas quand je serai grand.

Emre

Inde
Nous devons faire le pèlerinage au moins une fois dans notre vie. J'aimerais aller à La Mecque, c'est la ville sainte. Ce doit être fascinant de voir la Kaba, ainsi que la Grande Mosquée.

Junaid

Afrique du Sud
J'aime l'Aïd parce que toute la famille est réunie. On échange des cadeaux et des sucreries. Je l'aime aussi parce que nous portons de nouveaux vêtements.

D'AUTRES RELIGIONS

À CÔTÉ DES GRANDES RELIGIONS, il y en a d'autres, pratiquées par un plus petit nombre de personnes. Certaines d'entre elles se fondent sur d'anciennes traditions, d'autres sont apparues plus récemment. Les pages qui suivent vont te permettre d'en découvrir quelques-unes.

Ces femmes coréennes dansent en costume traditionnel pendant le Sokchonge, une fête qui a lieu deux fois par an et qui réunit les adeptes du confucianisme.

Le zoroastrisme

Le symbole

Le symbole Farahora a trois pennes, qui figurent les trois piliers du zoroastrisme : bon travail, bonnes pensées, bonnes actions. Le cercle du centre représente Zarathoustra, le fondateur de la religion.

LE ZOROASTRISME est peut-être la plus ancienne des religions encore pratiquées. Elle compte environ 150 000 fidèles, surtout en Inde. Les zoroastriens croient en un Dieu suprême, Ahura-Mazdâ, créateur et source de tout ce qui est bon dans l'Univers. Ils croient aussi que l'on peut vaincre le démon par de bonnes actions, de bonnes pensées, et en ayant une vie irréprochable.

Le vêtement sacré

Garçons et filles entrent dans la religion de leurs parents au cours d'une cérémonie spéciale. Ils portent une *sudreh* (vêtement sacré) toute blanche, symbolisant la pureté et les bonnes intentions. La *kushti* (fil sacré) est enroulée trois fois autour de leur taille. Ils la portent toute leur vie, elle symbolise le lien qui les unit à leur communauté.

Un temple persan

Ces garçons bavardent devant un ancien temple de Perse (l'Iran actuel), décoré de sculptures de guerriers. Le lieu du culte du zoroastrisme est appelé « temple du feu ». Les prêtres y entretiennent un feu sacré qui brûle perpétuellement. On dit que certains de ces feux perdurent depuis des centaines d'années.

L'autel de feu

Les zoroastriens prient devant du feu, car Ahura-Mazdâ est la source de toute lumière dans le monde. À la maison, nous avons un feu qui brûle toujours, car les rites et les prières (cinq fois par jour) doivent se faire devant lui.

Le shintoïsme

L'ANCIENNE RELIGION DU JAPON est le shintoïsme, ou shinto, qui ne se pratique que dans ce pays. Beaucoup de Japonais bouddhistes en suivent aussi les rites. *Shintô* signifie « la voie des dieux ». Le shintoïsme n'a pas de fondateur, il repose sur des pratiques traditionnelles. Ses adeptes vénèrent des millions de dieux, les *kami,* dans des sanctuaires naturels.

Des vœux par centaines

Les shintoïstes prient devant un autel (privé, local ou national) en certaines occasions. Ils expriment leurs vœux en écrivant des prières sur des cartes qu'ils attachent à un arbre, devant l'autel d'un *kami.*

Le symbole

Ce beau et grand portique est un *torii,* symbole du shintoïsme. Les grandes portes invitent les fidèles à entrer dans un sanctuaire, mais le *torii* peut aussi constituer un lieu de culte en lui-même lorsqu'il est érigé dans un sanctuaire naturel.

Daikoku, le *kami* du bonheur et de l'abondance, est aussi vénéré par les bouddhistes. Ce protecteur des fermiers, assis sur un sac de riz, porte le maillet de la chance.

Des tambours pour les *kami* à Kyoto

Le prêtre shinto frappe un grand *taiko* (gong), qui émet un son puissant. En entrant dans le temple, les fidèles tapent dans leurs mains pour attirer l'attention du *kami.* Au-dehors, des prêtres frappent aussi des gongs pour avertir le *kami* qu'ils sont présents pour le culte.

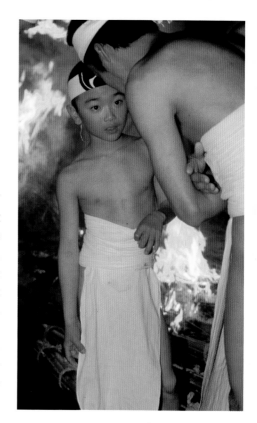

La fête d'O-bon

Les shintoïstes respectent leurs aïeux. Lors de la fête d'O-bon (fête des Morts), ils pensent que les esprits de leurs ancêtres reviennent les voir. Ils déposent des offrandes sur les tombes. À la fin d'O-bon, de grands feux sont allumés pour saluer les esprits avant leur retour, l'année suivante.

Le taoïsme

C'EST LE PHILOSOPHE CHINOIS
Lao-Tseu qui, au VIe siècle av. J.-C.,
créa le taoïsme, ce courant qui est à la fois
religion et mode de pensée. Le taoïsme
aide à connaître l'énergie, ou
la puissance, qui fait le lien entre tout
ce qui vit. *Tao* signifie le « chemin »,
comme le chemin de la vie.

Ses adeptes recherchent le
bonheur par la méditation
et évitent la violence.
Certains croient en des dieux
et déesses qui veillent sur eux.

Le symbole

Le taoïsme est représenté
par le taiji. Ce symbole
figure le yin et le yang,
deux forces opposées
et complémentaires.
Par exemple, le yin est
obscurité et passivité alors
que le yang est mouvement
et lumière. À l'intérieur du
yin, il y a toujours une part
de yang, et réciproquement.

Les trois voies

Le bouddhisme, le confucianisme
et le taoïsme coexistent en
Chine depuis plus de deux
mille ans. Ces trois
religions se sont fait
des emprunts mutuellement,
de même qu'elles ont
aussi intégré d'anciens
rituels chinois.

Les fondateurs des
trois religions :
le Bouddha (à gauche),
Confucius (au centre)
et Lao-Tseu (à droite).

Le tai-chi-chuan

Cet homme enchaîne
des mouvements lents, selon
un schéma très précis, pour
aider le pouvoir du tao
à entrer en lui. Le tai-chi-chuan
peut ne paraître qu'un exercice
corporel, mais pour ses adeptes il est
bien plus. *Tai* est le pouvoir contenu
en toute chose, et *chi* le courant
d'énergie. Cette pratique leur donne
force et énergie intérieures.

Un adepte du taoïsme
pratique le tai-chi-
chuan à l'extérieur
d'un temple en Chine.

Le culte

La pratique du culte
de façon individuelle,
par la méditation et le chant
ou bien la prière devant un autel
domestique, est importante.
Parallèlement, il existe des services
religieux avec des prêtres dans des
temples. Ces derniers peuvent être
dédiés à un ou plusieurs dieux.
Il y a généralement un autel devant
lequel les fidèles récitent leurs prières.

Le jaïnisme

LES ADEPTES DU JAÏNISME croient que tout ce qu'ils disent, font ou pensent a une influence sur leur existence. Non-violents, ils respectent la vie et ne doivent blesser aucun être vivant. Cette religion ancienne vient de l'Inde et compte aujourd'hui plus de deux millions de fidèles.

Le symbole

Les fidèles n'adorent pas un dieu, mais ils suivent l'exemple de vingt-quatre maîtres appelés tirthankaras, dont les statues se trouvent dans les temples et sur les autels.

Le fondateur

Cette statue est celle de Mahavira, qui naquit en Inde au VIᵉ siècle av. J.-C. et fonda le jaïnisme. Il est le vingt-quatrième et dernier tirtankhara. Ici, la statue est en train d'être lavée.

Le respect des animaux

L'*ahimsa* (non-violence et respect de la vie) est très important. Les jaïnistes ne tuent ni ne mangent jamais d'animaux. Les moines couvrent leur bouche pour ne pas avaler d'insectes.

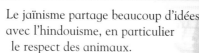

Le jaïnisme partage beaucoup d'idées avec l'hindouisme, en particulier le respect des animaux.

Le lavage des statues

Tous les douze ans, des pèlerins se rassemblent dans un temple du sud de l'Inde pour la fête du lavage des statues. Ils portent de somptueux costumes de couleurs vives. Les prêtres versent du lait de coco sur les statues et des épices odorantes.

Cet important pèlerinage a lieu tous les douze ans, près de Jaisalmer, en Inde.

Le bahaïsme

LE BAHAÏSME A ÉTÉ FONDÉ VERS 1860, en Perse (l'Iran actuel). Ses adeptes croient qu'il n'y a qu'un seul Dieu pour tous les peuples, qui peut être connu sous différents noms par des fidèles d'autres religions. Ils croient aussi que tous les humains sont égaux et appartiennent à la même famille. Leur but est de répandre des idées d'union et de paix dans le monde.

Le symbole

Les trois triangles entrelacés représentent l'union des peuples de toutes les religions. Cela peut être aussi une étoile à neuf branches. Le chiffre neuf est le nombre de l'unité.

Les lieux de culte

Le bahaïsme n'a pas de chefs religieux. Des membres respectés de la communauté conduisent les offices. Ils se réunissent en général chez des fidèles pour prier, mais ils se rendent aussi dans des lieux de culte. Ceux-ci ont souvent neuf côtés et sont surmontés de dômes.

Les jardins du bahaïsme

Les lieux de culte sont habituellement entourés de beaux jardins, comme le voulait le fondateur de la religion, Bahâ Allâh (1817-1892). Ce jardin fait partie du tombeau du Bâb, près de Haïfa, en Israël. Avec son maître Bâb, Bahâ Allâh fonda la religion vers 1860. Il réunit ses disciples dans un jardin, près de Bagdad, et leur annonça qu'il était le prophète destiné à les guider.

Le temple du Lotus,
à Delhi, en Inde

Glossaire

Ablution Action de se purifier en se lavant avec de l'eau avant le culte.

Âme Élément invisible, immortel et divin propre à chaque individu, séparable du corps après la mort.

Ancêtre Un membre de la famille ayant vécu il y a très longtemps, bien avant les grands-parents.

Ange Être spirituel qui assiste ou sert Dieu (ou des dieux). Il est souvent un messager de la divinité.

Aumône Offrande destinée à aider les pauvres, à l'entretien des lieux de culte, à l'assistance aux moines et aux religieuses.

Artha Mot hindou. C'est l'un des quatre buts de la vie : la recherche du succès à l'école ou au travail.

Autel Construction ou table destinée à recevoir les offrandes pour la célébration du culte.

Baptiste Membre d'une branche de la religion chrétienne, l'Église baptiste. Ses adeptes sont baptisés à l'âge adulte.

Bar-mitsva Fête juive qui fait admettre un garçon de 13 ans parmi les adultes. *Bar-mitsva* signifie «fils de la communauté». Pour les filles, la bat-mitsva a lieu à 12 ans.

Bimah Dans la synagogue, estrade où est célébré le culte et lue la Torah.

Catéchisme Dans la religion chrétienne, enseignement des croyances et des pratiques de la religion. Les enfants y apprennent la foi et la morale chrétiennes.

Catholique Signifie littéralement «universel» mais s'applique surtout aux membres de l'Église catholique romaine, qui reconnaissent l'autorité spirituelle du pape.

Cérémonie Forme extérieure d'un culte se déroulant suivant des règles rituelles (comme la messe catholique).

Chiisme Mouvement qui conteste la succession de Mahomet par les califes. Les chiites croient que c'est le cousin du

prophète, Ali et ses descendants, qui sont les seuls successeurs légitimes du prophète.

Communauté Groupe de personnes qui partagent certaines valeurs en commun, dont la même religion.

Confirmation Dans l'Église chrétienne, cérémonie présidée par un évêque pour confirmer la foi en Dieu d'une personne. Elle a lieu en général vers 12 ans ou à l'âge adulte. Ce sacrement constitue avec le baptême et l'eucharistie l'ensemble des sacrements de l'initiation chrétienne.

Crucifixion Ancienne façon de mettre à mort, consistant à clouer ou attacher les mains et les pieds du condamné sur une croix de bois. Selon la Bible, Jésus est mort ainsi.

Culte Façon de pratiquer une religion par des prières, des chants, la lecture de textes ou de livres sacrés, des offrandes, des cérémonies. Ces dernières se déroulent en un lieu où se rassemblent les fidèles (église, temple, mosquée, synagogue, etc.).

Coutume Une pratique particulière suivie depuis longtemps.

Dévotion Engagement fort envers quelque chose, désir de servir Dieu. Acte de vénération envers une divinité.

Dhamma Dans le bouddhisme, tous les enseignements du Bouddha qui expriment la vérité définitive.

Dharma Mot hindou. C'est l'accomplissement du devoir et l'un des quatre buts de la vie.

Diaspora Ensemble des communautés juives dispersées à travers le monde à la suite des persécutions ou qui sont hors d'Israël depuis la création de cet État.

Disciple Personne ou étudiant qui suit la doctrine d'un maître. Par exemple, dans le christianisme, Jésus avait douze disciples.

Divin Qui vient de Dieu.

Écritures Textes dans lesquels les fidèles d'une religion ont foi.

Esprit Être surnaturel ou force que l'on croit exister autour de nous.

Évangiles Dans le christianisme, les quatre livres du Nouveau Testament de la Bible (Matthieu, Marc, Luc et Jean) relatent la vie de Jésus.

Éveil Accès à une plus grande connaissance de la religion ou du monde qui nous entoure. Dans le bouddhisme, une personne qui atteint ce but sort du cycle des réincarnations.

Évêque Dans les Églises chrétiennes, personne ayant la direction des prêtres d'un diocèse (territoire placé sous sa juridiction).

Foi Croyance absolue en une idée ou une personne. Les adeptes d'une religion ont foi en ce qu'elle enseigne.

Fêtes Jours dans l'année religieuse consacrés à des célébrations et à des réjouissances.

Gatka Art martial pratiqué par les sikhs. C'est aussi le nom d'un bâton employé pour simuler des combats à l'épée.

Gourou Maître ou guide religieux.

Hallah Pain brioché tressé, servi pour le repas du shabbat et lors des fêtes juives.

Hanoukkia Chandelier de culte juif à neuf branches utilisé pour Hanoukka, la fête des Lumières.

Hymne Chant écrit comme un cantique de louanges ou de prières, adressé à Dieu.

Jeûner Se passer de manger ou éviter certains aliments pour des raisons religieuses.

Kama Mot hindou. C'est la recherche du plaisir, dans la musique, la danse, l'art, etc. C'est l'un des quatre buts de la vie.

Karma Dans la religion hindoue, c'est l'idée que le bien et le mal accomplis dans une vie passée influent sur la vie présente.

Lois Ensemble de règles qui doivent être respectées par tous. La Torah, par exemple, définit des lois pour les juifs.

Mahayanas Traditions du bouddhisme respectées en Chine, au Japon, en Corée et au Vietnam. Elles enseignent que les gens doivent eux-mêmes trouver le chemin de l'Éveil, mais il est important d'y conduire aussi les autres.

Martyr Personne qui a souffert ou qui est mort pour avoir refusé de renier sa religion ou ses croyances.

Martyre Torture ou supplice enduré en raison de sa religion.

Menora Chandelier de culte juif à sept branches.

Méditation État de relaxation et de concentration, par lequel l'esprit peut se fixer sur des réflexions spirituelles.

Mela Foire ou fête religieuse indienne.

Messe Célébration de l'eucharistie, ou communion, dans l'Église catholique romaine.

Minaret Tour élancée d'une mosquée, du haut de laquelle le muezzin lance l'appel à la prière, cinq fois par jour.

Moksha Mot hindou. C'est la libération du cycle de la vie et de la mort et l'un des quatre buts de la vie.

Monastère Maison ou ensemble de bâtiments où vivent en communauté des moines ou des religieuses.

Muezzin Personne qui appelle cinq fois par jour les musulmans à la prière.

Novice Homme ou femme entré dans un ordre religieux, mais qui n'a pas prononcé de vœux définitifs.

Offrande Don fait à une église ou autre lieu de culte (en argent, nourriture, fleurs ou autres), en signe de respect et de remerciement.

Orthodoxe (chrétien ou juif) Religion traditionnelle dans laquelle sont réunies des règles de culte qui n'ont pas changé depuis les origines.

Pentecôtiste Membre d'un mouvement religieux protestant, croyant aux dons de l'Esprit-Saint, comme le pouvoir de guérir ou de «parler en langues».

Pessah Fête commémorant la sortie d'Égypte du peuple juif fuyant l'oppression.

Prêtre Guide spirituel qui célèbre les rites religieux et les cérémonies.

Prière Acte par lequel on communique avec Dieu, pour l'honorer ou lui adresser une demande. Certaines sont très anciennes.

Procession Long cortège de fidèles.

Prophète Celui qui peut interpréter la volonté de Dieu.

Prosternation Profonde inclination, les genoux, les mains et le front touchant le sol, afin de manifester un profond respect.

Protestantisme Églises diverses, au sein du christianisme. En Europe, les protestants voulurent réformer l'Église catholique au XVIᵉ siècle et s'en séparèrent.

Rabbin Guide spirituel dans la religion juive. C'est un érudit et un maître, expert dans l'interprétation de la loi judaïque.

Réformistes Ceux qui adaptent la religion juive à la vie dans le monde moderne.

Réincarnation Dans certaines religions, croyance que l'âme ne meurt pas, mais revit toujours et toujours dans un autre être humain, un animal, une plante ou un objet.

Relique Reste d'un saint (comme un os ou une dent), que l'on a conservé et qui est traité avec un grand respect.

Respect Considération, déférence ou vénération pour quelqu'un ou quelque chose.

Résurrection Dans le christianisme, réapparition de Jésus, trois jours après sa crucifixion et sa mort.

Rituel Ensemble des rites et des cérémonies pratiqués dans une religion.

Rosaire Chapelet composé de cinq dizaines de petits grains, séparées par des grains plus gros, et terminé par un crucifix. Les catholiques traditionnels s'en servent pour compter leurs prières.

Saint Homme (ou femme : sainte) ayant mené une vie parfaite et exemplaire, proche de Dieu et reconnu comme tel par la communauté. L'adjectif «saint» qualifie ce qui est sacré, religieux.

Shabbat ou **sabbat** Jour de repos et de culte du vendredi soir au samedi soir dans la religion juive.

Sacré Ce qui est en rapport avec le religieux ou le divin.

Sacrement Acte rituel accordant la grâce de Dieu à celui qui le reçoit.

Sacrifice Offrande à Dieu de nourriture, de vies d'animaux ou de personnes, comme manifestation d'un culte.

Sermon Petit discours que le prêtre ou le pasteur prononce au cours d'une cérémonie pour expliquer des textes sacrés aux fidèles afin de les aider dans leur foi.

Service religieux Cérémonie avec prières, chants et gestes, particuliers à une religion.

Seva Dans le sikhisme, l'un des principes qui veut que l'on aide les gens, surtout les pauvres.

Stupa Temple bouddhiste. Lorsque son architecture s'est étendue en Chine, il a pris progressivement la forme de la pagode.

Sunnisme Courant majoritaire de l'islam (82 %). À la mort de Mahomet, des divisions se manifestèrent pour sa succession. Les sunnites croient que les califes, à la suite du prophète, étaient ses successeurs légitimes et ses véritables continuateurs. *Voir aussi à chiisme.*

Symbole Objet réel et visible, utilisé pour représenter une chose invisible (une idée, par exemple).

Temple Édifice consacré au culte d'une divinité. C'est la «maison de Dieu».

Theravada La seule des anciennes écoles du bouddhisme qui a survécu jusqu'à nos jours, en particulier au Sri Lanka, en Thaïlande et en Birmanie. Basée sur la responsabilité personnelle.

Tradition Coutume ou pratique transmise de génération en génération.

Végétarien Régime basé sur une nourriture végétale, limitant ou éliminant ce qui provient des animaux.

Vœu Promesse solennelle faite à Dieu par une personne.

index

Crédits

L'éditeur remercie les personnes suivantes de l'avoir autorisé à reproduire
leurs photographies :
h = haut ; b = bas ; c = centre ; g = gauche ; d = droite

akg-images : 42bg, 57cg, 62hd ; Gerard Degeorge 68bd ; Suzanne Held
74g ; Erich Lessing 61hg ; Jean-Louis Nou 25bc ; **Alamy :** allOver
Photography/TPH 57bd ; Paul Doyle 35cd, 36ch ; Fotofusion Picture
Library/Christa Stadtler 69bd ; Sally & Richard Greenhill 4hd, 62cd,
67cd ; Image Solutions 30b ; Israelimages/Israel Talby 4hg, 43hd, 50hg,
51c ; Norma Joseph 25bg ; Lucky Look/ Thore Johansson 56hd ; Steve
Outram 58hd, 59hg ; Gabe Palmer III 8d ; ReligiousStockOne 59d ;
Anders Ryman 4hc, 55hd ; Janine Wiedel Photo Library 69hg ; World
Religions Photo Library/ Osborne 41bg, 60c, 67hd ;
www.jpsviewfinder.com/photo by Jean-Philippe Soule 74bd ;
ArkReligion.com : Jon Arnold 43bg ; Dinodia Photo Library 12cg, 76d,
77b ; Itzhak Genut 45cd ; Chris Rennie 65hg ; Helene Rogers 3hd, 14hd,
15hg, 17cg, 32hg, 32bg, 32bd, 34bd, 36bg, 45c, 45bg, 47cd, 48bd, 55cd,
58cd, 71hd ; Trip 65b, 71hc ; Bob Turner 17hg ; **Bridgeman Art Library :**
Cameraphoto Arte, Venezia 42c ; **British Library :** Add. 5589 f.111 6hg ;
Corbis : Paul Almasy 7bg ; Nathan Benn 72 ; ChromoSohm Inc/Joseph
Sohm 60bg ; Dennis Degnan 50bd ; Owen Franken 7bd, 51hg ; Free

Agents Limited 29b ; Michael Freeman 12cc, 25bd ; Gallo Images/Luc
Hosten 48cd ; Farrell Grehan 1 ; Lindsay Hebberd 14cd, 18c, 19hd, cd,
31hd, c, 53hg, 73bg, 76c ; Robert Holmes 20bc ; Angelo Hornak 76hg ;
Jeremy Horner 18g, cd ; Earl Kowall 73bc ; Earl & Nazima Kowall 9hd ;
Charles & Josette Lenars 8bg ; Chris Lisle 24cg, 28cg, 76bg ; Craig
Lovell 19bd ; Stephanie Maze 53b ; John & Lisa Merrill 6bg ; Milepost
9/Colin Garratt 62hg ; Richard T. Nowitz 45bd, 47hd, 48bg ; Christine
Osborne 8hg, 63hc ; Caroline Penn 23hd ; Mark Peterson 49c ; David
Pollack 10bg ; David Reed 49hd ; David Samuel Robbins 22hg ; Royalty-
Free 12bg ; Anders Ryman 24bg ; Ariel Skelley 56c, 57cd ; Roman
Soumar 34hg ; Ted Spiegel 56bg ; Penny Tweedie 8c ; David H. Wells
48hg ; **Corbis/Reuters :** 52bd ; Gopal Chitrakar 3hg, 12hd ; Amit Dave
15b ; Zainal Abd Halim 71hg ; Dipak Kumar 37hg ; Savita Kirloskar
73d ; Yoriko Nakao 27hd ; Ajay Verma 41bd ; **Corbis/Sygma :** Jacques
Langevin 33hd ; Desai Noshir 6hd, 35h, 39c, 40b ; Patrick Robert 61d ;
DK Images : British Library 68c ; British Museum 22cg ; Burrell
Collection, Glasgow Museums 52hd ; Judith Miller/ Ancient Art 46cd ;
St Mungo, Glasgow Museums 12cd, 12bd, 38bg, 63c ; The Museum of
London 63hg ; **Empics/EPA :** 26hg, 35cg ; **Eye Ubiquitous/Hutchison
Library :** 64hg ; Nigel Howard 28hg ; Liba Taylor 51hd ; **Gamma/Katz :**
Remi Benali 31bd ; Gantier Marc 74hd ; Wallet Patrick 20d ; Job Roger
53hd ; Koren Ziv 77c ; **Getty Images :** Lonely Planet Images/Juliet
Coombe 42hg ; Photographer's Choice/Angelo Cavelli 26c ; Uriel Sinai
44bd ; Chung Sung-Jun 27c ; Taxi/Gavin Hellier 13b ; The Image
Bank/Yann Layma 75bg ; Ami Vitale 71cg ; **Getty Images/AFP :** 14hg ;
Anatolian News Agency 7hd ; Jimin Lai 69hd ; Karim Sahib 62bd ; Gent
Shkullaku 58b ; **Getty Images/Stone :** Andrea Boher 21hd ;

Bushnell/Soifer 46hg ; Rex Butcher 75d ; Sylvain Grandadam 74cg ;
Robert Harding Picture Library : Gavin Hellier 3hc, 23hc ; **Magnum :**
Bruno Barbey 30c, bd, 54cd ; **Panos Pictures :** Jean-Leo Dugast 25h ;
Mark Henley 70b ; Ami Vitali 17cd ; **Powerstock :** age fotostock 17hc ;
Reuters : Munish Byala 37cd ; Kamal Kishore 41hg ; Gil Cohen Magen
44hd ; Manish Sharma 36bd ; Yun Suk-bong 27g ; **Rex Features :** 66b ;
Stefano Caroffi 34bg ; Sipa Press 70hd ; The Travel Library 30cg ; **Peter
Sanders Photography Ltd :** 64b ; **Still Pictures :** Hartmut Schwarzbach
29b ; **David Towersey :** 52cg, 55cg, 58cg ; **World Religions Photo
Library :** 13hd, 16hd, 33hg, 36bc, 38bd, 39hg, hd, 40cd, 54cg, 60bd,
73hg ; Gapper 26bg, 51bd, 61c. **Toutes les autres images :** © Dorling
Kindersley.
Couverture : 1er plat : DK h ; Corbis/Nevada Wier b ; St Mungo,
Glasgow Museums cg ; Burrell Collection, Glasgow museums cd ; Art
Directors & TRIP hcg ; Judith Miller / Wolley and Wallis c ; dos : bas,
de haut en bas : National Maritime Museum, Londres, Art Directors &
TRIP, Burrell Collection, Glasgow museums, Judith Miller / Wolley and
Wallis, St Mungo, Glasgow Museums ; 4e plat : DK h ; bandeau objets
de gauche à droite : DK, Art Directors & TRIP, St Mungo, Glasgow
Museums, DK, Judith Miller / Wolley and Wallis, DK, National
Maritime Museum, Londres, Burrell Collection, Glasgow museums ; bas,
de gauche à droite : Corbis/Dave Bartruff, Corbis/Viviane Moos et
Corbis/Ariel Skelley.
Dorling Kindersley voudrait également remercier :
John et Anne Angood, Xenophon Ankrah (60hd), Michele Gordon,
Harrington Hill Primary School, Matilda Marks Kennedy School, Selwyn
Primary School, Roma Sheen, Rajesh Shrestha (24hd)